相信閱讀

Believing in Reading

《iO 聯網組織》修訂版

分散管理
智聯雲端

物網相聯，迎向平的世界

New Way for
Growing Global

施振榮——著　蕭富元——採訪整理

CONTENTS
分散管理，智聯雲端

NEW WAY
FOR GROWING
GLOBAL

享受管理知能大幅成長的喜悅

朱博湧

　　有別於理工領域以「物」為研究對象，透過操控相關變數進行實驗以驗證學理的求真模式；管理領域則是以「人」、「企業組織」與「社會環境」為研究對象，彼此間的互動變化才是主要研究範疇。

　　在管理研究中，許多外部環境如科技、法規及競爭者都是不可控制因素，即使是人、企業組織與社會等因素也不像「物」那樣，具高同質性可供進行實驗操作，因此，企業的經營策略常具獨特專屬性，策略與組織環境間的配合度（strategic fit）則是最關鍵的地方。

　　雖然美、歐、日等經濟強國有許多成功國際化的案例足供借鏡，然而，若未詳細審視企業組織個別差異、一味抄襲別人的成功策略，將冒很大風險。即使僥倖成功，頂多是雷同策略（me-too strategy），更不幸的是，結果常常如清朝末年的變法那樣，一心求「量變」，只學外人工業化之道而未習其質變之本，無法建立獨特的優勢。

　　管理經驗的傳承與相關情境策略權變因素的配合應用，

是管理課程最難兼顧的地方。每個企業的組織本質與能力均不相同，加上目標的優先順序迥異，因此，企業的經營策略應該要獨特、唯一。鑑此，學界常常藉管理個案的討論，補強管理理論在應用上為遷就通則性而簡化之缺憾。

■ 多年來的經營心得與經驗

交通大學榮譽校友、榮譽博士施振榮先生所創的宏碁電腦，是國內少數一開始即以自有品牌成功切入國際市場、不斷創新的本土企業，孕育了許多高科技企業的高階經營決策人才。施振榮先生更是國內外企業經營者及青年學子心目中最推崇、最具影響力的企業家之一，也是我個人最敬佩的國內企業家之一。

施振榮先生曾多次在公開場合表示，他求學時最大的志向是成為大學教授。此次應邀每週三下午撥兩小時親蒞交大現身說法，傳授其帶領宏碁集團國際化的寶貴經驗與心得，並與同學良性互動，進行課程相關議題討論，除了一償回母校任教之夙願外，對交大EMBA與選課同學來說，實是莫大的福氣。

施振榮先生對首次回母校上課極為重視，除了多次與黃仁宏教授及我交換意見外，並很有系統的準備教材。「國際企業的經營與策略」課程包括四大相關主題：「知識e世

紀」、「創造價值占有率」、「另類全球化」、「e領導」。課程內容有施先生經營宏碁集團多年的心得經驗，以及決策時考量的環境因素變化、宏碁組織目標與能力的獨特性，並將決策選擇過程與執行績效進行有系統的整理。

▓ 毫不保留，逐一傳授

施振榮先生講授課程內容非常豐富。就時間向度而言包括宏碁過去、現在及未來經營與策略三大構面。

宏碁過去以小搏大，國際化實戰經驗代表的是本土中小企業的成長歷程與策略；在發展為大企業後，宏碁因應內外部改變，進行一連串再造過程。施先生視高科技產業的快速變化為決策的本質，詳述宏碁如何掌握技術不連續、超分工垂直整合的環境大趨勢，最後並針對未來知識時代網路社會的新機會，提出企業應有的認識，以及對國家、企業建議之應變策略。

一開始，施振榮先生從國際市場發展趨勢與產業典範移轉，扼要點出「無國界世界」（borderless）、「超分工整合」（super-disintegration）、「數位經濟」環境科技的變化，以及對企業經營的影響。

其中，最為業界、國人所熟知的微笑曲線，即是根據全球個人電腦產業的生態演變，圖示價值鏈（value chain）活動

與附加價值（value-added）兩者間的關聯性。

施先生擅長將複雜的決策與商業活動用易懂的方式傳達，以形成企業經營的理念方針，微笑曲線即是最好的例子。

■ 具啓發性的觀念架構

針對知識經濟時代來臨的網路商機與台灣發展契機，施振榮先生提出個人有關的知識管理觀點、新的願景、發展策略、組織設計創新想法與管理意涵。其中引起學員熱烈探討的是整合集團企業活動的最高指導原則 ── 聯網組織協定（internet organization protocol, iOP）── 的觀念性架構，非常值得學術界、企業界深思。

另外，根據微笑曲線，宏碁集團的成長策略於是朝向顧客服務與關鍵元件兩端發展，衍生出另一重要觀點：創新的重要與創新活動所需的環境。

競爭力是價值創造與成本兩者比值之函數的概念，凸顯了國人應朝價值創新（innovalue）方向努力的重要。創新包括經營模式、科技、產品、行銷、服務與供應鏈等六種不同形式的創新，並詳舉創新機制所需組織內、外因素為何，逐一加以探討。

「另類全球化」則探討美國、歐洲及日本企業三者國際化模式的異同，並凸顯台灣企業所面臨的問題。

　　施先生考量台灣企業國際化形象不佳，人才、財力不足等問題，發展出宏碁以小搏大的獨特國際化策略模式，並進一步比較代工與自有品牌兩者發展策略的差異，提出目前宏碁集團在眾多產品與市場中如何掌握全員品牌管理（total brand management）的重要觀念與做法，供企業及學術界參考。

　　第四部「e領導」包括：願景（vision）與文化（culture）為何？願景與文化為何重要？以及如何發展企業的願景與厚植企業文化等，並對照宏碁經驗，舉例說明為達成落實組織願景所需之發展策略、再造策略與再造過程。施振榮先生毫不保留、逐一傳授的胸襟，令上課學員深表敬佩。

▍創造知識外部效益的乘數作用

　　在多變的環境科技、法規下，競爭優勢不連續時代促使企業家回到校園重拾書本再充電，國內外EMBA學程正蔚為風潮，實有其時機意義。

　　除了建立異業網路、分享彼此經驗外，亦是吸收新觀念、新知識最有效率與最有系統的方法。邀請傑出企業人士到學校傳授經營理念、分享經驗心得，可創造知識外部效益的乘數作用。

　　雖然上課學員為一百三十多位，然而透過媒體傳播及未

來網路授課等創新做法，所形成之影響及因而受益者將遠大於此。

　　很難得有機會與施振榮學長合作規劃這次課程，《天下》雜誌出版部蕭富元女士將授課菁華編撰成書，企業界與學術界均得以開卷受益，相信必能深享如EMBA學員與我自己管理知能大幅成長之喜悅。

　　　　　　　　　　　　（本文作者為交通大學管理科學系教授）

序
立足台灣，經驗全球

楊國安

施先生開課了！

宏碁集團內同仁議論紛紛、半信半疑 —— 要施先生連續十幾個星期、每週三在交通大學上課，談何容易？但他確實辦到了。

從農曆春節開始一直到六月中旬，他所有的假期都留在家裡準備講義，修正呈現的形式，功夫下得非常深。

我有幸在施先生開課前參與課程規劃，並於開課時抽空旁聽，對施先生的講義及本書內容印象十分深刻。我自己也曾是大學教授及管理研究學者，施先生的思考方法、觀點及建議不但有非常獨到之處，而且適合亞洲地區和開發中國家之企業應用，總體可歸納以下四點：

■ 適合台灣的管理模式

一、立足台灣、放眼世界的觀點：目前國際間眾所熟知的主流經營策略及管理方法，多源自美國知名大學教授及諮

詢管理顧問。這些理論及主張的背景和假設，是基於美國廣大的市場、豐富的資源和多元發展的西方文化，包括業務專精（business focus）、系統化組織管理、強勢策略聯盟等，皆與美國客觀條件息息相關。

我初接觸宏碁時的第一印象就是，宏碁的管理與我熟知的跨國企業管理模式差異頗大。後來與施先生互動交流後才了解，這是台灣市場的客觀環境限制使然（市場規模、資源、文化等）。

因此，本書介紹的觀點與理論，是充分考慮台灣及亞洲的特殊環境，以及經過「消化」和「創新」，而不是全盤模仿美國經營管理理論。

數億元學費的實戰經驗

二、投資數億元學費的實戰經驗：電影廣告上常強調，這部片子是費時多年、耗資億萬美元拍攝而成，本書則可說真正是花了施先生二十多年時間、好幾億元「學費」的心血經驗，是宏碁集團在成長中不斷創新、嘗試錯誤及檢討改進學來的心得，不是一般書本上介紹的理論或知識。

例如書中強調，科技是全球的、但服務必須是當地的，以及台灣企業在美國市場不易成功等觀點，都是施先生在長期經營中不斷反思的結果，值得亞洲各企業主管參考與深思。

　　三、別樹一幟的創新思維：除了成功的實戰經驗，施先生也自創不少重要的理論觀點，這些都是在其他學術書籍上找不到的寶藏。

　　在本書中，他首先提出聯網組織（internet organization, iO）的觀念與構思，並強調，這種組織是在知識經濟時代、產業超分工整合發展趨勢，以及台灣企業追求既專精又多元的要求下，最理想的組織設計。

　　我個人認為，這是組織理論的創新思考，也是將過去的網路組織（network organization）及主從架構（client-server structure）更進一步提升及演進。

　　此外，施先生的微笑曲線、超分工整合及競爭力公式等觀念，都能精準的把許多重要邏輯思考深入淺出的說明。

　　由於施先生對國際企業經營管理的獨創性看法，使他在1999年獲得世界最大的國際管理學術研究協會（Academy of International Business）頒發的傑出CEO獎，施先生對全球經營管理的貢獻與受到的國際肯定，由此可見一斑。

▌無私奉獻的心胸

　　四、睿智無私、貢獻社會的心胸：在國內外各種演講場合以及本書篇幅中，施先生都不斷強調科技是為了改善人類生活，科技產業也應以此為最終目的，而不是唯利是圖。

在這本書裡，施先生多處表達他對台灣成為人文科技島的願景，期盼台灣既有高科技的發展，也有高感性的文化（high-tech and high-touch）。與施先生共事的日子中，他這種心胸最令我佩服。

以社會為己任的企業家

成功的企業家，大有人在；絕頂睿智的人，世上已不多見；願意以貢獻社會為己任的成功企業家、又絕頂睿智者卻是鳳毛麟角。

這本書、這次在交大互動授課的方式，以及把教材製作成網上學習教材（e-learning）、光碟片（CD-Rom）與生活化的卡通漫畫等活潑多元的做法，又一次印證施先生「不留一手」及「創新價值」的理念，願意把自己最寶貴的經驗傾囊相授，先以華文形式出版，讓台灣、大中國及全世界的華人企業家、學者和學生率先分享。

在此，我特別向大家推薦這本書，假如大家能仔細閱讀和思考，相信必能像我一樣受益無窮。

（本文作者為前標竿學院院長）

自序

從物聯網到智聯網（2015年）

　　如果說，《勇敢洗腦，思維不老》談的是要將你改造成隱性的思考跟思維，《分散管理，智聯雲端》談的就是操控、分工與整合，是無形的機制建設，希望透過願景和企業文化，以創造價值、利益平衡、永續經營的目標為依歸，找出達成目標的方法，也就是王道創值兵法中的價暢其流。

　　此外，這本書還有另一個重點，就是以終為始；這裡的終，談的不僅是顧客、消費者，更包含大環境趨勢，當企業能夠了解最根本的需求，才能為顧客創造價值、為企業找到生存之道、為環境實現永續。而若要明瞭其中的的奧祕，就得回到這本書第一次出版的時候。

▓ 通訊協定順勢而起

　　那時，電腦的發展已經從大型組織往主從式架構發展，透過網際網路通訊協定（internet protocol）從「中央集權」變成「分散管理」。

在管理層面也是一樣，我觀察到未來的世界是平的（當時《世界是平的》一書尚未出版），全球化的結果，機會變多、狀況變多，又要尊重當地的文化需求，分散管理才能應付這樣的局勢。況且，世界上有能力的人那麼多，你不借重他，等於浪費社會資源。

然而，這麼多人的智慧要怎麼串聯？

網路世界是透過通訊協定運作，讓智慧不斷成長，共創價值。演化至今，我們發現，可以透過雲端，讓每一端的價值落實在雲裡，包含現在的穿戴式裝置，也是其中一環。

雲端，其實就是我在2000年提出的微巨電子化服務，在我的想法裡，資訊產業的下一世代模式應該是要建立巨架構（mega，現在指的是雲）、微服務（micro，現在指的是「端」，如APP）。

當年，我還為知識經濟提出「聯網組織」的管理概念。

▋ 集結眾人智慧的智聯網

1998年準備宏碁二造時，我曾想把組織的主從架構改為iO聯網組織架構，但到2000年時我發現組織是人，人不像電腦那麼「聽話」。

電腦機器可以經由設定，有效按照標準化的TCP/IP通訊協定運作，可是，由人組成的企業或法人團體，則不一定會

遵守協定。

　　除非，領導人能夠提供讓大家共同創造價值，以及利益分享、平衡的誘因，才能真正落實，讓所有人在其中發揮智慧、貢獻價值。實質上，這就需要將王道的核心精神內化於聯網組織協定裡。

▋ 建立生態系統

　　從網路世界的通訊協定對應到真實世界的聯網組織，我這個聯網組織協定就是一種開放標準的管理協定，也就是企業價值觀與組織文化。

　　當時我認為，社會、市場愈趨多元化發展，產業進入超分工整合，從基層到中央，不能再用傳統的層級組織架構管理，透過聯網組織協定的分散式管理才是大趨勢，也呼應到現在談的王道，領導人要建立一個多面向、多層次、分散式處理的生態系統。

　　另外，因為大數據時代，大家都在談物聯網（Internet of Things），但它是以數據（開發商）為中心。

　　我在2015年時提出以人（使用者）為中心的智聯網（Internet of Beings）一詞，因為物聯網的數據是死的，得靠人的洞見（insight）才有辦法變成真正的智慧。而智聯網也是一種「分散式」的開放平台概念，集結各個領域與不同階

層的眾人智慧，互相整合，創造共生共榮的生態。

知識經濟之後，我們開始談兩件事：創意經濟、體驗經濟。我以王道思維，分別再為它們下了定義：體驗經濟是創造價值的目標，創意經濟是創造價值的手段，因為最有價值的，還是所有人的體驗，而體驗是無形的東西。

一切的一切，還是回到人（being）的智慧。我常說：「台灣不缺人才，只缺舞台！」這個舞台，不是有形的場域，社會氛圍也是一種舞台，如果表演時，沒有觀眾、沒有人鼓掌，那還做什麼？

▍突破瓶頸，從「心」變革

所以，因應新時代，我們需要從「心」變革，變革需要管理。2000年時，我到總統府談變革管理，我說國家的變革要二十年，才能看到成果。以民主政治的任期機制，要實行長遠變革相對的挑戰，但你今天不起步，就永遠相差二十年。

現在，我認為需要三十年，變革才可能成功！因為我們創造價值的能力逐漸變成負的，主要是社會面臨了資本主義裡的「價值半盲文化」、民主制度之下的「資源齊頭文化」與公務機關的「行政防弊文化」三個瓶頸，投入那麼多的資源，卻無法創造更高的價值，不利於國家社會的永續發展。

台灣需要全面破除這三大文化瓶頸，一點一滴去改變，

創造正面價值的機制。當然，這需要時間。

　　近五年來，台灣對於產業升級轉型的需求愈來愈急迫，也開始關注競爭力、永續發展生生不息等等議題。因此，我把2015年定為「王道插秧計畫」元年，除了推出王道經營會計學，還與天下文化合作，推出「王道創值兵法」系列套書。

■ 著書立說，以揚善念

　　王道是組織的領導之道，它的核心理念是創造價值、利益平衡、永續經營，並透過六面向價值總帳論評估事物的總價值，才能長期平衡發展，達到最大價值。

　　至於王道創值兵法的內涵，則包括：一以貫之、以終為始、吐故納新、價暢其流，這些觀念在套書裡都可以看見，只是有些書會又特別側重其中幾項。

　　以前，我只是一個人在說；現在，透過書，我希望可以建立一個模式，讓更多人都能擁有這樣的思維，為社會創造價值。

自序

千金難買的真經驗（2000 年）

　　本書主要內容是西元2000年我於母校新竹交通大學授課教材改編而成，它彙集了我和宏碁集團二十四年來在全球市場的經營心得和策略運用的菁華，富藏無數成功經驗和失敗教訓。

　　書中每一句話所表達的思維和資訊，都是真槍實彈、繳足了學費之後的心血結晶，可說是累積了新台幣上兆元的寶貴營運經驗，以及花費上百億元、經歷多次失敗教訓的學習成果。若說「千金難買真經驗」，亦不為過。

▌樂於與年輕人分享

　　回憶1999年初，交通大學校長張俊彥偕同管理科學系教授兼EMBA學程主任朱博湧親臨宏碁汐止總部，邀我回交大講授EMBA課程，雖然當時剛住院開刀回來，工作量又很大，但仍不忍拒絕。

　　回饋母校乃天經地義，和年輕人分享經驗，協助他們學

習成長，又是我的夙願；再說，我一直認為，將來從宏碁集團第一線經營團隊退休之後，我應該從分享經驗、貢獻智慧的層面，盡我所知，提供台灣及亞洲企業全球化和提升競爭力的助力。所以，如此極富挑戰與深具意義的誠摯邀約，我怎能不欣然接受？

倡導一種創新的閱讀模式

從那時起，雖然工作忙碌依舊，但是只要能偷得片刻餘閒，我腦海裡就不停的構思：應該用什麼樣的創意，讓這個處女作呈現最好的互動學習效果，使它叫好又叫座。

首先，得把自己過去值得分享的經驗有系統的整理出來。沒想到，光是這第一層工作所下的功夫，就已遠遠超過原先預期，比起我平時準備演講所花的時間，更是以倍數計。不知不覺之間，我已把春節假期、週末、假日以及上班時間的片段空隙，全數投入這十二堂課的教學準備工作。

在內容方面，本以為可以從一些參考書來蒐尋補充教材，卻赫然發現，自己所經歷的時空與其特殊背景，坊間一般中、外管理書籍都無法充分闡述。因此，一章一節、一點一滴，都得靠自己將其說個明白。

多年的訓練，我已習慣在三十分鐘或一個小時之內，把桌上所有文件處理掉，但我發現寫講義完全不同。

　　譬如，過去我習慣走動式管理，很不喜歡久坐辦公室，現在卻常為了準備講義大綱一坐就是幾個鐘頭，聚精會神的整理思緒，組織章節，演繹思想邏輯，急著完成一張張的投影片原稿，以便隔天一早交給特別助理黃裕欽先生做文字整理，並做成書面資料，自己再瀏覽一遍，確認文義皆無誤之後方算完成。

　　接下來，就要依照大綱，填入個人許多相關的見聞和親身體驗，真是所謂：「欲吐之而後快！」

　　如今十二堂課的講授已經完成，課後將講授內容即時整理，也已大功告成，馬上就要付梓出版，可讓更多人分享。人生在世，能立德立言，不亦樂乎！

■ 強調事實與分析

　　這本書不像一般的教科書，而是經驗祕笈。它沒有理論和假說，只有事實和分析，尤其對台灣資訊產業發展環境的詳盡描述，更值得研習和深思；要了解台灣產業生態和市場演化，本書內容足堪參考。

　　本書沒有複雜的學理，因為我對事情的探討總是化繁為簡，用最簡單易懂的比喻，使人一目了然。

　　我認為，知識和經驗是十分寶貴的，前人走過的錯誤，可以不必再犯；前人成功的案例，則可做為參考。年輕朋友

們如能耐心細讀，多加體會，做為個人生涯成長和事業發展
的借鏡，相信必能受益無窮。

▓ 變革中經營管理的參考

　　企業必須肩負社會責任是我一貫的主張，多從事對國家
社會和全人類福祉有助益的事是企業家的分內事。多年來，
我不斷在不同時間、不同場合，針對同一件事情提出一些比
較創新的思維。

　　這些思維在形成初期，通常會先在我的腦海裡出現一
幅看似清楚、卻仍模糊的景象；我根據這幅景象不斷提出詮
釋，不斷和別人互動討論，景象愈來愈清楚，理念也愈來愈
明朗。

　　多年前提出的很多觀念，經過焠煉後證明都相當正確，
也都能提供企業在不斷變革中經營管理的參考。這些出現在
本書中的重要觀念，包括：

　　一、在企業文化和組織發展的策略方面，我首先提倡
「人性本善的組織文化」和「內部創業」的精神，激發人的潛
能，導向積極正面的生產力創造。隨著組織的成長，我又開
始倡導分散式管理、群龍無首、享受大權旁落的樂趣、主從
架構，以及「21 in 21」等鼓勵授權、激勵士氣等加速成長的
策略。

　　二、在市場行銷和競爭力方面，我首先堅決倡導「自
創品牌」，後來提出微笑曲線、競爭力公式來分析產業競爭
態勢，產生了「技術是全球性、行銷是當地性」、超分工整
合、聯網組織等競爭策略。

　　三、在凝聚員工力量導向未來發展的願景方面，我先後
提出鮮活思維、無形勝有形的軟體文化、人文科技島、東方
數位內容的世界供應中心、網路生活的推手、知識經濟，以
及「from high-tech to no-tech to high-touch」等一系列宏碁、
甚至台灣產業在未來e時代中的定位。

▌更豐富、高感度的時代

　　因為資訊科技（high-tech）的發展，已經走到「可以預
知前景」的階段，對人類的價值在於如何將這些科技應用
到人類真實的生活中，尤其是對絕大多數不具任何科技（no-
tech）的活動的重大影響，才能真正引導人類進入一個更豐
富、更高感度（high-touch）的時代。

　　在這個迎向未來的進化過程之中，台灣究竟能否扮演舉
足輕重的角色，是我經常思考的問題。

　　在科技應用方面，相較於先進國家，我們亟需迎頭趕
上，但在管理實務方面，也許很有機會建立一個可以整合先
進和落後兩者之間的第三種模式。

　　將來除了已廣受重視的《孫子兵法》之外，漸被國際學界和媒體引用的微笑曲線，以及我最近新提出的「iO聯網組織」等觀念，除了對以中小企業為主的台灣產業提供參考之外，也能與全球業界分享經驗。我希望，宏碁除了在產業經濟上對人類有助益外，在經營管理上也對世界有貢獻。

　　這十二堂課的演講內容以及和同學間的互動與對答，不管是文字、影像或聲音，都已完整記錄下來，希望可以透過視聽、通訊、多媒體與網路技術，繼續提供國內、外大學EMBA課程及任何學習團體或個人修習之用。

　　如果再加上不同學者的補充和討論，並將之融入學習管道中，絕對會帶來更多的啟發和應用價值。人類的智慧經過知識包裝，才能流傳久遠，擴大其傳承效果。

▌有意義的傳道授業之旅

　　2000年開春以來，發生了很多事情。

　　台灣第十任總統大選期間，一貫主張企業界不介入政黨、但需全力支持政府的我，對於多位總統候選人邀約擔任他們主政後的顧問都欣然接受，但大選之後，在海峽兩岸關係的拉鋸之中，竟遭受一場無妄之災，雖對企業營運影響不大，卻也在媒體上激起小小漣漪。

　　此期間，為了兌現對同學的承諾，我選擇以課程為重，

向由中研院李遠哲院長所領導的國政顧問團會議請假，專心到新竹交大校區授課。

在業務發展上，一場為期一週、由宏碁集團及轉投資公司在渴望園區聯合舉辦的「e-Life 2000」展示會，吸引了兩千多位中外媒體記者、六萬多位參觀民眾，使宏碁集團在最近兩年積極推動的軟體、網際網路、電子商務等智財相關投資和成果，向世人做了一次完整的展現。

在個人方面，逐漸年邁的母親動了一次手術，內人、小孩和我輪流在醫院照顧母親的近一個月期間，也讓我能夠利用空隙時間，完成了好幾堂課的講授大綱。

回想起來，老天似乎刻意安排我騰出這些時間來完成這一趟有意義的傳道授業之旅。

▌享受付出，分享心得

我想，我是相當幸運的。研究所畢業後就能有一群志同道合的夥伴，一起從事開創性（pioneering）的事業，建立了宏碁全球舞台。

因此，面對速度愈來愈快的技術創新，思考台灣如何在競爭方式不斷變化的全球市場爭得一席之地，也成了我不可推卸的責任。

本書得以完成付梓，要感謝楊國安博士和我的特別助理

黃裕欽博士，提供架構設計和內容方面的諸多協助；《天下》雜誌資深文字工作者蕭富元小姐的文字紀錄，宏碁基金會蔡慧君小姐和蘇國忠先生與其工作小組的全程錄影。

　　謝謝他們的盡心盡力，讓我能夠全力投入，盡情綻放智慧的花朵，享受付出；也鼓舞了我在未來新知識經濟領域中追求更大成果，和更多人分享更多的心得，以及對世界做更大貢獻的信心。

　　1996年出版《利他，最好的利己》（原書名《再造宏碁》）得到很大的回響，至今已有中、英、日、泰、印尼等五國語言版本問世，我將版稅收入全數捐給宏碁基金會，做為推展科技和管理知識之用。本書及其衍生產品，如：網路教學、光碟片、漫畫書等的版稅收入，也將全數捐給宏碁基金會。

導言

一隻身價百億元的白老鼠

　　1999年5月，宏碁集團連續第二年拿下經濟部國際貿易局頒發台灣進出口貿易額第一名的獎牌。

　　我還記得，受獎時曾簡單發表感言，我認為台灣經濟發展成功之後，過去以量取勝的思考應轉為以智慧財產權的輸出國為追求方向。

　　這番說法是有感而發。以製造業而言，台灣毋庸置疑是個輸出國；但就智慧財產來說，現在還只個是輸入國。台灣是否躋身文明先進國家之列，就看這個指標能否完成。

▌全球化經驗全盤提供

　　我深知，這個目標可能需時一、二十年才能竟其功，但是障礙勢必克服。我於是建議，經濟部國貿局應開始公布智慧財產出口排名，並頒獎鼓勵優秀的企業；過去工業局獎勵自製率的思考模式，也應由獎勵附加價值率取而代之。

　　要由智慧財產的入超國變為出超國，自然必須與企業的

全球化運作緊密結合。我始終相信，全球化是台灣整體發展的一大課題與挑戰。台灣地狹、資源有限，發展經濟的客觀因素和其他國家大不相同，全球化的模式也必有所異。

在全球化這條艱苦的路途上，我所體會的經驗遍尋書本無前例可循，我不但自創理論，還身先士卒親自當白老鼠。這隻白老鼠代價昂貴，耗資數百億的金錢，更磨去三十年經歷自行實驗。

我全盤提供的全球化經營經驗雖是野人獻曝，卻足以供大家分享、思考，希冀藉此讓其他人不必重蹈我的覆轍，少付一些不必要的高昂學費。

當然，我的經驗有其局限性，我是以台灣為根據地，站在過去有經驗的高科技角度來看全球化的議題。

▌挑戰困難、突破瓶頸、創造價值

歸納我所有思考的基本模式，一言以蔽之，就是挑戰困難，突破瓶頸，創造價值。

台灣要在科技領域頂尖創新、領先他國，有其難度。

我認為，台灣一方面要積極迎頭趕上先進國家的科技技術，但另一方面，台灣有許多人才投入科技產業，擁有豐厚的社會資源，如果有一套更有效運用資源的創新方法，那麼在管理創新的貢獻或許比科技的創新更可貴。

　　何況，科技創新幾乎是全球性的，管理則因各地客觀環境互異而大異其趣，美國式管理在台灣能否有效運用就值得商榷。

■ 美國觀點以外的新出路

　　回顧三十年來我所提出的各種理論，大多集中於管理的創新。這一路走來，個人有許多刻骨銘心的體悟。

　　遍數台灣的企業家，我大概是最常與國際媒體接觸的一個，我很了解外國記者關切什麼、想什麼。不諱言，我要獲得美國媒體的注意並不容易，我提出的微笑曲線、主從架構等管理理論反而較受美國學術界矚目。

　　目前主導全球的趨勢與理論都是以美國馬首是瞻，我到落後地區就發現，他們對美國發生的事情瞭若指掌，認為美國人主張的趨勢與理論似乎就是正確的方向；我們的困難正在於此，美國觀點已籠罩全球，幾乎找不到另一條新出路。

　　我卻持不同的看法。

　　美國主流的趨勢、理論雖然言之成理，但不一定能完全為我們或落後地區所用。我也試過搭上主流思潮發展自己的理念架構，例如，1992年我提出的微笑曲線理論，就跟美國當時盛行的分工整合（disintegration）概念有關。

　　當我第一次聽到這個英文字時，也不知道它究竟是什

麼意思，之後我到日本演講就開始用這個名詞，並將之應用
到我熟知的資訊產業。我吸收主流理論，再用自己的方法詮
釋，因而發展出獨特的想法。

▊ 尋找亞洲模式

　　但我覺得最艱困之處，是國際大眾並不了解我做的這些
事情，因此我必須想出一些比較簡單的道理，與大眾溝通。

　　當美國人說企業要「專精」（focus）時，我就提出在專
精之外還要多元（diversify），因為即使台灣企業再怎麼專
精，由於規模小，做出來的結果也只是美國的百分之一。

　　我們當然不服氣，只好轉而朝多元專精努力。但是，企
業多元化之後如何管理？國外學界沒有這套理論，我因此提
出主從架構、iO 聯網組織的理論相應。

　　此中有許多無奈，台灣面對的環境與美國是那麼不同，
但國外媒體無法設身處地為我們著想，不斷否定我的理論，
不願將我提出的主從架構歸類為全球化的第四種模式。

　　反倒是同為亞洲人的菲律賓亞洲管理學院，將我的主從
架構正名為第四種模式，這意謂他們認同宏碁的主從架構就
是亞洲的模式。

　　以知識為基礎的數位經濟浪潮，在這幾年間洶湧而來，
沖襲全球。身處數位革命，我也持續摸索，在這個由網路發

動的新經濟中,究竟要用何種經營模式制勝。

在本書中,我特別提出 iO 聯網組織的新模式,希望能成為台灣制勝的武器,進而成為全球的主流。

美國之所以能成為主流,是因為美國模式最成功、最領先,但台灣模式要引導潮流也並非毫無可能。

就以宏碁集團為例,宏碁業績高度成長之後,媒體才逐漸出現第四種模式的報導。iO 聯網組織是否能受重視,端看未來幾年能否有高度成長。

在宏碁集團中,舊的電腦事業漸陷困境正處於轉型中,但三、五年前利用 iO 聯網組織所開發的事業,目前都已開花結果,且有高度成長的機會。

■ 台灣特質適合採用 iO

我所有的理論如微笑曲線、主從架構、iO 等,都是先有行動在做,後有理論支撐。其實宏碁集團已經身體力行這些理論了,但為了有效溝通、運作,形成共識,我慢慢發展出這幾套理論、模式。

iO 需要在民主、教育普及的客觀環境才能發揮效益,其基礎是利用資訊系統、運算能力。台灣企業有創業精神,高等教育人才多,產業以中小企業為主,具彈性速度,這些特質最適合採用 iO 模式,可達到大家各自為政又能形成強大的

組織集團，在國際上一較長短。

　　面對知識經濟時代，iO模式不但順應任務多元多變的世界潮流，更符合人性渴望自己作主的需求。我所謂的聯網，是將一個個有效管理的網，不論是三個或五個單位，網網相聯。網際網路是一群無人管理的網，由一些人規劃協定（protocol），然後大家遵照這些協定，各自為政。

　　產業在分工整合時，也不是有人刻意制定協定讓大家依循，而是市場競爭的優勢者自然會變成產業標準。就以半導體分工整合的模式來說，台積電的模式最有效，所以其他公司跟著走，這就是一種全球的聯網組織，並沒有人主其事，而是由產業的大趨勢、大潮流主導。

　　未來的產業趨勢是一種超分工整合的模式，iO就是超分工整合中最有效的運作模式。小至公司內的部門關係、人與人的關係，大到公司與公司、集團與集團、國家與國家之間，都是一種聯網的概念。iO是一種有效利用、管理全球資源的模式。

▋新經濟，台灣機會無窮

　　新經濟顛覆了許多傳統的想法與做法，過去的三百六十行，現在擴大為三百六十萬行，機會是無限多，但是在每一行裡都非要當狀元不可。在知識經濟時代經營企業，就像運

動比賽一樣，大家只記得第一名，不認識第二名，如果沒有把握領先就要另謀出路。

大小的定義也被改寫，過去的大是指營業額大、地方大、組織大，未來的大講究的是影響大、被利用大（被使用多）。由此觀之，市場小、資源少的台灣，在新經濟中將有無窮的機會。

聯網最大的好處是，兩點之間的距離竟是如此天涯咫尺。我深刻記得，第一次上網最大的震撼就是，那麼遙遠的資料瞬間唾手可得，真是不可思議。如果整個社會都能像聯網組織這樣運作，就會出現很高的效益。

需要有能力的領導者

要完成這一切任務，需要許多有能力的領導者。

我一直認為，領導者是可以訓練出來的，台灣有能力成為領導者的人不少，但是還需要有客觀環境配合。我經營宏碁，或寫書、發表言論，主要目的無非是希望能夠看到台灣出現更多的領導者。尤其在日益多元化的知識經濟時代，任務多元多變，要做的事情多如牛毛，每件事都需要領導者有效的完成。

台灣下一波經濟發展能否再創奇蹟，就看此役；而決戰新經濟的關鍵，端賴iO模式能否成功。

CHAPTER 1

知識 e 世紀

當世界變成平的，
沒有人可以自己做完所有的事，
產業分工整合就是必然的結果。

第一章

典範移轉

從事資訊產業數十年，
我有幸看到全球企業的大趨勢，
親眼目睹科技產業的典範不斷移轉。
電腦架構由大型主機發展到網際網路，
產業結構也由垂直整合演進到超分工整合，
在網路協定的架構下，全球標準開放，
整個世界為之翻轉。

　　從事資訊產業數十年，我有幸看到全球企業的大趨勢，親眼目睹科技產業的典範不斷移轉。

　　以電子業的發展為例，在三十年前甚或十年前，我都不能想像會發展成今天這等面貌。令人好奇的是，今天的人似乎都看得懂網路時代的未來樣貌，彷彿前途似錦；但我認為，未來會怎麼樣，還是要靜觀其變，五年之後，應該即可見真章。

▓ 掌握科技發展趨勢

　　根據過去三十年經驗，我從來沒有想過五年、十年以後，產業會變成什麼樣子。台灣的資訊工業會發展到今天這個地步，也出乎我意料之外。

　　當然，我曾經規劃了一些比較不會出錯的願景，如科技島，或幾年內宏碁要在世界變成第四名結果做到第三名。無論如何，我都設定一些目標做為努力的方向，但是我必須坦承，要有效掌握每件事情的發展，非常不容易。

　　根據我觀察，當今全球產業發展有六大趨勢：

　　一、市場愈來愈大，愈來愈自由

　　二、無國界的市場經濟

　　三、超分工整合的發展

　　四、由產品導向變成顧客導向

五、價值創造來源的轉移

六、e時代的數位革命

這六大趨勢中,我比較有心得、台灣也比較能有效掌握的趨勢,就是超分工整合與e時代的數位革命,稍後我會詳述這六大趨勢,並剖析這些趨勢所代表的意義。

▌ 趨勢一　市場愈來愈大,愈來愈自由

企業種種的努力,無非是要創造更多的市場,市場愈開放愈自由,效益就愈高。

在法令層層壟斷的保護主義思維之下,資源無法得到有效利用,所以美國有反托拉斯法、反壟斷的法令,就是希望能更有效使用資源。

在1990年代以前,中國、印度、巴西等大國都以為,保護主義對本身比較有利,相信反正國家這麼大,什麼都可以

愈來愈大且自由的市場

■國際性貿易組織,如:WTO,消弭地方保護主義。　■產業保護措施減少,以及市場自由化迅速發展。　■中國、印度、巴西等大型新興市場發展。

自己包辦。

　　實際上，這種想法當然是緣木求魚。

　　就以台灣為例，當年家電產業在國內市場受到保護，外國產品很難打進，因此造成台灣家電業缺乏國際競爭力。至於台灣的資訊產品，進口成品的關稅是5％、零件進口稅是20％，由於這種反保護的政策，台灣資訊產業反而有國際競爭力。

　　事實證明，保護主義並沒有成功的案例。

　　當然，對於初期未成熟的產業，用保護主義給予初期支持、指導，也無可厚非。就好像培養下一代，在小時候多給一些輔導、協助是理所當然；但是，永遠的保護根本不能使其成氣候。

■ 創造比較利益

　　保護主義不能持久，既不經濟，同時也降低了競爭力。在自由競爭的體系下，企業如果能贏，就會產生很高的實際效益。

　　妙就妙在，到底贏得有沒有用？如果只能贏一時，不能贏千秋，關鍵就在於變化。企業如果只是短期打贏，萬一比賽規則改變，還能不能繼續贏？另外，市場轉移了，過去很有價值的東西現在可能喪失價值。

戰場不斷改變，在競爭的環境中，企業可以自創一條新出路，然後割地為王。既然可以稱王，表示在這塊割地裡你最強，如果不是最強根本就無法生存。

重點在於，進入這塊割地之前，你一定要確保有勝算的機會，不可高估自己，也不能低估挑戰者的實力。

既然決定打這場仗，就非勝不可，否則乾脆撤退。當然，這塊割地如果是畝良田，你就有無限機會；如果不幸是塊旱地，就算占領下來也沒有好處。

經濟學家曾談到「贏家通吃」（winner gets all），我卻要反問：「吃到什麼？」（all of what?）是所有的負數（all of negative）或所有的零（all of zero）？

派克貝爾電腦公司就是「吃掉所有的負數」，因為個人電腦市場本來就是「流血大犧牲」，拿到全部又有什麼用？做贏家就要做有利潤的贏家，如果贏到的是有包袱的東西，就不得不丟掉。

▋ 趨勢二　無國界的市場經濟

不論是產品或技術，都是全球通行，甚至連資金都是全球流通。市場為什麼無國界？正是因為好的、大家想要的、無形的東西容易分享，只要能創造出價值，即使受惠者付出的費用少之又少，但由於大量分享，就造成很大的成功。

　　美國90年代經濟蓬勃發展的主因正是肇始於科技的分享，尤其是軟體分享。複製軟體不會消耗資源、也不必花錢，但在分享時產生的效用最高。

　　軟體就像一本書，最怕沒有人閱讀，有人讀就會不斷再版，利潤也跟著水漲船高。

　　我特別強調智慧財產，就是因為它可以大量分享所以附加價值高。

　　服務也是如此，如果是一個個去做服務，既辛苦又昂貴，投資很大；但服務的「know-how」就很值錢，就像軟體一樣，全世界都可以用，服務若可以透過網際網路部署，更容易複製、分享，有分享才會有附加價值。

　　在無國界的市場中，一個概念若要全球化，一定要相當了解當地；同樣，如果產品不是全球最好的整合所產生的結果，都不具競爭力，無法持久。

　　要有效整合全球最好的東西，一定要四海皆夥伴。未來絕對不是漢賊不兩立的時代，與敵共舞將是一種常態。

▌一人飾多角

　　在這個既合作又競爭的客觀環境裡，開放、具彈性、隨時可以扮演不同角色的能力，愈形重要。

　　一個人如果可以扮演多種角色，當環境變化快速、競爭

激烈時，就能隨任務需要而調整，未來的世界非常需要具彈性角色扮演能力的人。

最近大家都在談「沒有中心的組織」這個概念，這和我的說法不謀而合。

什麼是中心？在一個任務中，由誰主導發動誰就是中心。即使是小公司也可以當中心，大公司扮演的角色就是支持中心的衛星，此即虛擬夢幻團隊的概念。

在這方面華人相對落伍，因為美國人扮演角色很有紀律，華人則常常公私不分。

亞洲金融危機，就是因為角色扮演錯亂，把股東的錢、銀行的錢當成自己的錢挪用，既是銀行家又是企業家，利益安排有衝突，這些都出了問題。

台灣企業「打群架」會輸給美國的道理就在於此，美國人打團隊成效很好是因為他們有紀律，必須扮演犧牲打的角色時，絕不會為了求表現、當英雄而不做犧牲打。

網際網路是超分工整合的時代，以前凡事要自己做，現

無國界的市場經濟

■產品全球化，如：網際網路、流行化商品、電玩遊戲、個人電腦、汽車等。　　■技術與零組件全球化。　　■資金與人才全球化。

在則盡量策略外包。為什麼會出現這個趨勢？企業要做的是一連串的事情，其中可能只有某幾件是核心關鍵，哪些部分要自己做、哪些部分要外包，就是一種策略。

▊ 趨勢三　超分工整合的發展

90 年代初期，美國開始有外包（outsourcing）的觀念，就是專注於核心能力，其他則外包給外面的公司，連延攬人才、資訊系統都可以外包，因為出入不大也不會致命。

外包的好處是企業能夠專注集中，成本就算沒降低，但是外包公司該項功能一定比自己更專業，何況成本可能更低？因為要做這些非核心關鍵的事情需要養兵，這些人力在「農閒」時派不上用場形同閒置，等到要用時又發現不夠專業。

產業的分工整合也是如此，戴爾電腦（Dell）、IBM 製造不在行，所以外包出去，勉強做了也會變成包袱。

1991 年 9 月《哈佛商業評論》有一篇文章，我認為是美國競爭力不斷提升的重要論調之一，文中提出美國應該變成「不製造電腦的電腦公司，無晶圓廠的半導體公司」，這個論調就是策略外包，現在看來理所當然，當年提出時非常新穎。

分工整合的基本條件就是開放標準，在共同利益以及不斷競爭下，促進大家進行分工整合。

我認為，未來會出現虛擬團隊、虛擬整合的概念，就是

經由標準開放，在共同利益之下，為了某個任務組成團隊，任務完成後團隊就解散。

美國夢幻籃球隊就是這樣的模式，它的目的是拿奧運金牌，所以聚集最好的球員，奪下金牌後就各自解散。大家分工整合，沒有負擔，也完成任務。在網路世界裡，這種超分工整合的模式比較正確。

▋ 既競爭又合作的未來

我能夠預測未來，是因為我看過去。就以過去電腦的發展來看，如下頁圖 1-1。

網路協定很簡單，但是在這個協定的架構下，全球標準開放，各自為政，整個世界為之翻轉。

管人與管電腦運算有類似之處，從電腦發展的歷史也可以推論到組織架構的轉變。

電腦架構隨需要不斷調整，從大型主機發展到網際網

超分工整合

■策略外包：追求全球化成本與人才的優勢。
■專注核心能力、虛擬整合，也就是不再有所謂全能政府或全能企業，而是經由全球分工整合建立競爭力，形成策略聯盟，讓中小型企業較易適應。

圖1-1　產業典範移轉

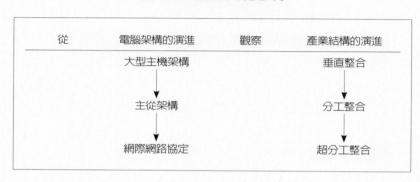

路，未來，人的管理、組織架構也會朝這個方向走，從什麼都自己做的垂直整合到分工整合，再到超分工整合。不同的是，組織還要針對人，不能只用電腦這麼簡單的道理涵蓋。

　　未來一定是既競爭又合作的時代，沒有任何一個人、國家、公司無所不做，如果無法分工整合就不具競爭力。

▋ 發展核心能力

　　唯有自助，才能人助，自己一定要掌握優勢、有核心競爭力，並且與合作對象進行策略聯盟，組成夢幻隊伍。

　　在這種情況下，我覺得台灣中小企業「寧為雞首」的創業精神十分有利。因為台灣中小企業很有彈性，為了生活什

麼都可以做，這種特質在網際網路時代最吃得開。

　　在上一波個人電腦風潮中，台灣就是因為這個特質打贏日本、韓國等亞洲鄰邦，我們如何繼續打贏網路時代這場新戰爭，仍有待考驗。因為這些國家上一次實在輸得不服氣，今天比賽重來，當然要想辦法扳回一城。

　　以對網際網路的熱度來看，台灣不見得比得上香港、韓國、新加坡，在這個客觀環境下，我們如何以現有優勢繼續領先是個很大的考驗。

趨勢四　由產品導向變成顧客導向

　　在早期，所有產業只要有產品就可以維持，利用科技不斷開發出更高功能的產品，這是以產品為中心的時代。但，未來是以客戶為中心的發展模式。

顧客導向

■從賣方市場變買方市場：在e時代，顧客愈來愈聰明，要求也愈來愈高。　■競爭區隔改變：成熟產品很難以技術、產品創造差異，轉而以解決方案、速度、服務、品牌形象，做為主要競爭區隔。　■企業經營模式改變：顧客終生管理對於獲利至關重要。

　　更重要的是，將來很多產品都會供過於求，包括投資幾百億元新台幣的動態隨機存取記憶體（DRAM），都可能供過於求。

　　單靠產品、技術無法永續發展，也沒有太大的價值。即使人工再多，大陸、東南亞釋放出來的勞力是無窮盡的，你如何與之競爭？何況有很多東西，尤其是無形的東西，根本不需要靠勞力。

　　未來我們要發展更多產品，尤其在軟體部分，如果做出來的產品不是以客戶為中心，送人家他都不要。如果是熱門產品，就會有無限的回收。不以顧客為導向，最後一定會出問題。

▋ 先問消費者要什麼

　　台灣過去一些產品，都是以做得比較好、比較便宜為主要競爭力，未來應該思考到底消費者要的是什麼？他要的是安心、方便？是總成本低，還是單一產品的成本降低？

　　英特爾（Intel）就是以顧客為導向的例子。它的產品是透過幾千家代工廠商製造，但它最終的用戶是幾千萬到幾億人，它要以客戶為中心，設計訴求點是抓住客戶的真正需求，比如客戶想要隨時升級、軟體要相容，英特爾就灌輸顧客：「買最新技術比較不會被淘汰」的觀念，在推出廣告時

也做同樣的溝通。

英特爾不透過中間商,如宏碁電腦,來訴求這樣的概念,因為兩家公司各有不同的目的,所以它跳過宏碁,直接對廣大的消費者溝通這個訊息。

■ 重新思考公司策略定位

在全球大趨勢下,企業應反問自己的定位是什麼?到底是提供產品的公司、做服務的公司,還是提供解決方案的公司?尤其在分工整合的時代,更要找出自己的定位。這就好像打球,每個人都要思考自己站在什麼位置比較可能成為明星,這對球隊勝負有關鍵性影響。

當然,企業更要了解客戶的需求。台灣企業在經營事業時,尤其是外銷產業,多以製造代工、設計製造代工為主,相對而言較簡單。自創品牌就不是那麼單純,必須思考到底

轉移中的價值創造來源

■過去:市場規則以成本與產量為主,製造能力為關鍵因素(賣方市場)。 ■現在:從顧客觀點而言,專利技術以及具有附加價值的服務,愈來愈重要(買方市場)。

客戶是誰？他要什麼？

　　這就是為什麼品牌領先者，如 IBM 品牌那麼強勢，但在個人電腦的業務先是慢慢流失一些比較沒有錢的客戶，到最後連有錢的企業也不一定買 IBM 的產品，因為它的產品和別家沒有太大差別。

　　如果不思考顧客的想法就無從發展，因此，台灣企業要自創品牌就要貼近客戶、了解客戶，一步步從長計議。

　　台灣企業要轉為顧客導向，員工心態與文化是主要的障礙。原因是台灣產業以外銷為主，遠離消費者，不了解消費者需求；員工做事的心態是大客戶要什麼就做什麼，不懂得傾聽消費者心聲。這種心態要轉變成以客戶為導向會遇到很大的困難。

　　另外是產業本質的問題，例如，個人電腦就是以產品為導向，宏碁在個人電腦自己做品牌，但產品的主導性已由微特爾（Wintel）規劃，宏碁想要創新都失敗了，但那些跟著 Wintel 後面走、不動腦筋的公司卻成功，創新反而成為一種包袱，造成多做也沒有好處。

　　美國有些電腦公司，如惠普（HP）、王安電腦也曾想要創新，最後無功而返，輸給跟著 Wintel 走的公司。

▓ 趨勢五 價值創造來源的轉移

在價值鏈裡，到底哪裡才有價值？過去，大量製造是關鍵所在；但面對未來，大量使用的智慧財產及和客戶直接接觸的服務會比較值錢。我用簡單的附加價值曲線來說明（見圖1-2）。

圖1-2雖然採用個人電腦產業的概念，但也適用於所有產業。任何產業都可以思考，從一開始的研究發展、零組件一路到配銷服務，這條價值鏈到底哪裡最有價值？

顯而易見的，在80年代以前，做電腦的當然是把電腦組合起來最有附加價值；但到了90年代初期，這條曲線整個壓

圖1-2　80年代以前電腦產業的附加價值曲線

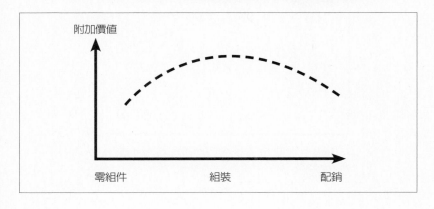

下來，就成為下面這個「施振榮的微笑曲線」（見圖1-3、圖1-4）。

　　這個微笑曲線，是1992年我為了宏碁再造提出來的概念。為了說服幾千名員工，以前重視的東西現在不值錢了，要怎麼說得出口呢？

　　所以，我就畫了這個曲線圖，讓大家一個個傳下去，傳到後來大家就說，反正不了解這個曲線的就笑不出來。很明顯，製造的附加價值已經變低了。

圖1-3　施振榮的微笑曲線 I

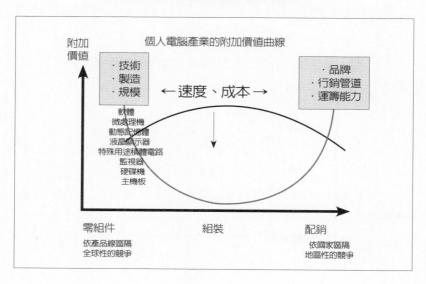

圖1-4　施振榮的微笑曲線 II

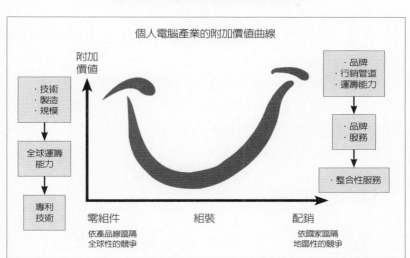

個人電腦產業的附加價值曲線

我認為，在技術或零組件方面，是全球的競爭；在配銷服務方面，是當地化的競爭。

這個簡單概念此後我將會不斷重複；如果這個方向抓錯了，創業、發展都違反這個原則，就會出問題。

在微笑曲線裡，重要的附加價值都在改變，誰在這裡有比較多顧客導向的智慧財產，它創造的價值就最高，在今天看來指的就是軟體。

美國微軟（Microsoft）總裁比爾·蓋茲（Bill Gates）有

一次告訴我，他不相信英特爾只是家半導體公司，他認為英特爾是軟體公司，是微軟最大的競爭者。

的確，英特爾是一家智慧財產的公司，它只是把智慧財產放在矽晶片裡面。

晶片誰都會做，台灣更會做，但是晶片裡面放什麼？放的是智慧財產。所以，英特爾不是做晶片而已，晶片只是為了容納智慧財產，英特爾把晶片當作媒介。英特爾半導體的生意，實際上是在賣智慧財產。

▌找尋附加價值

在這樣的情勢下我們不禁要問：做了半天，到底有沒有附加價值？在分工整合的大環境下，如果不能做到最領先者是不是就放棄了？你是不是寧為雞首？宏碁就是這樣，我們專門養小雞（碁），養有價值的小雞。

也就是說，如果沒有做好的把握就不做，但是如果找到一塊有未來價值的市場，就要全心投入，變成這塊領域的領先者。

台灣中小企業的創業精神有兩個：一是寧為雞首，一是喜歡一窩蜂。

寧為雞首值得鼓勵，一窩蜂就不可取。一窩蜂找小雞養沒關係，但不要一窩蜂養同樣的雞，就像電子雞，養久了也

是沒價值。看看英特爾丟掉DRAM市場，宏碁丟掉，世界先進也棄守，因為沒辦法變大就只好回家。道理很簡單，不能逞強。

■ 趨勢六　e時代的數位革命

數位革命創造了新經濟，我到世界各個角落，尤其在中東、東南亞、拉丁美洲，觀察到這些國家都感受到新經濟帶來的變化，也都了解是美國在演這場戲。

他們的觀念雖然跟得上趨勢變化，可惜沒有舞台。現在是他們在看戲，我們不希望台灣只有看戲，我們也要演戲。

在e時代的新經濟體系裡，我們要積極參與軋上一角，也許沒有條件演第一男主角，至少也要演一個要角。

e時代的數位革命

■雖然物質資源有限，有創意的公司可以產生巨大影響，如：eBay、e-Trade。　■利用網際網路技術建立顧客的資料庫、關係行銷管理與量身訂製的服務。　■中介服務價值的減少，直接影響通路、仲介服務及經紀人的經營模式。　■提升顧客服務，隨時隨地、全年無休。　■顧客與公司獲得市場訊息的差距愈來愈少。

　　在新經濟的數位革命時代，顧客與公司獲得市場訊息的差距愈來愈少。

　　因為網路上的知識太多，客戶非常關切，公司員工卻只了解自己所知的部分，不像消費者會試圖了解各種知識。員工如果不積極了解自己的專業，就會陷入客戶了解的知識比公司還多的窘境。

　　在新經濟中，事情無所不在，每天都處在來不及做好準備就要交差的情況下。要怎麼做才是對的？這不是說你得做得多努力，但如何有效利用資源，往正確的方向領導組織做對的事情，就變得非常重要。

▓ 留心轉折時機

　　我覺得，事情還是透過演進才比較容易成功，革命是很難的事。

　　數位算是革命還是演進？對不知不覺的人而言，數位是革命；對於注意觀察的人，它是一步步演進，甚至可以事先了解未來會有什麼發展。我們一定要隨時了解客觀環境，然後往前推。

　　問題出現時，要馬上尋求改變之道，先掌握客觀環境，從自己改革起。而且，通常發現問題時都有點晚了，如果還找藉口不自我檢討，就會耽誤改革的時機。

　　由此觀之，我發現再造宏碁的時間都稍微遲了。我們看到公司有問題，雖然自我檢討，卻在1991年公司出現虧本、連藉口都找不到了，1992年才進行再造。1996年、1997年再再造時，利潤已經下降才開始自我檢討，再再顯示宏碁自我檢討的能力不足。

　　累積很久的能量之後，會刺激出一個轉折點，它發生時勢如排山倒海。你也許無法掌握什麼是轉折點，但一定要為它做準備，轉折點到時要掌握改變的機會，快速應變。但你也不能押得太早，在非轉折點時一頭押進所有資源，若因此消耗太多，最後可能賠了夫人又折兵。

　　對很多人來說，網際網路是一個轉折點；Linux對Windows可能是轉折點，要有準備。更重要的是，要建立一個架構、文化，這樣比較容易面對改變。

問題與討論

「犧牲」是否有價值

問：在經營過程中，領導者可以自己做決定，也可以藉由內部溝通取得最後共識，到底決策與效率之間，要如何取捨？

答：這其實是抉擇的問題。你必須權衡，耗費這麼多時間溝通，換來什麼？

如果犧牲這些時間，並不會致命，卻能帶動更多人充分了解，就值得做；或者，類似情形發生時，組織已經建立這個能力，可以重複使用，那麼做這個決策的過程就有附加價值。

更重要的是，執行者並不是領導者，要用決策者當機立斷的思考模式帶所有人往同一方向，一不小心，經常會出現上面說一套、下面不知該如何執行的困境。

我在這方面很有耐心，我用時間來買經驗、買未來。我今天投入這些時間做內部溝通，就是希望在未來可以節省時間。

挑戰困難、突破瓶頸、創造價值

問：根據數十年經營企業的經驗，你認為有沒有一套理論可以涵蓋所有的經營模式？

答：我第一個思考的模式是，專挑困難的工作做，突破瓶頸後就可以創造價值，我整個事業的基礎就在於此。並不是簡單的事情不要做，而是專挑困難的來突破、創造價值，這是整套的架構。

不能在處理瓶頸的階段，就忘了處理平常簡單的事情，因為這是大家都會的事。但是，經營事業如果只挑大家都會的東西來做，又有什麼用？

第二個模式是一定要有一個遠景，你認同客觀的因素、外在的環境，分析自己的條件，出發點就是如何保護自己的弱點。

比如說，宏碁剛發展時資金不夠，人才也缺，我就進行人財兩得計畫。宏碁的硬體事業能否成為世界龍頭？機會可能存在，但還是要準備，這就是我所說的，你不知道轉折點哪一天會出現，但它出現時你有沒有做好準備？宏碁當然是一步步在準備。

至於軟體產業，受到市場的影響更大，軟體跟市場

的掛勾比硬體更厲害，所以軟體如果沒有市場，要得到更大的發展是有困難的。因此，自1997年起，宏碁就有軟體策略的會議，確定了三個方向：與硬體整合的軟體、本地區域性內容、本地區域性的服務。

在分工整合的體系下，這三個方向「要就大，否則就打包回家」。圈一塊塊的地養一個小市場，圈地就一定要為王。

培養實力之後，就要進行下一個目標。這就面對一個最大的問題：我們能夠掌握的實在太有限了。然而，市場太小，我們要做一大堆東西才能產生適當的規模。

在新的經濟體系下，一定要專精，所以如何多元又專精是需要注意的。

在亞洲，過去的多元是透過保護主義、財團、政商勾結所產生的；現在在自由經濟體下的多元，你能和人家專精的競爭嗎？大有什麼用？做不好如何與人競爭？

既多元又專精

問：有人說網際網路使得全球供應商和消費者的距離變短，品牌經營因而變得很重要，台灣有很多廠商都

在做代工，在新經濟時代，你對他們有什麼建議？

答：有很多產品、科技技術是全球化的，有統一的標準，但如果要進入市場，就要有非常當地的東西，客戶的需求、服務都是非常當地的，這不會改變。但是網際網路的技術會改變，讓企業的發展很快布滿全球，如果有一套方法能讓企業很快當地化，就容易事半功倍。

在新經濟中，企業很難通包。宏碁集團若想在某些領域通包，就要多元專精，亦即每個片段還是獨立的專精。一個公司或單位不能什麼都包，這樣沒辦法競爭。未來，如何與當地的合作對象有效合作是關鍵所在。

要有效合作，重點就是距離近的市場優先。「近」所產生的效益不只容易懂，而且在產生過程中可以很快回饋，同樣一件事情預演幾次就成熟了。品牌的經營也很重要，品牌是點點滴滴的累積，塑造品牌形象的主要目的是有利於重複做生意，不斷做未來的生意。

老闆是再造的最大障礙

問：超分工整合是企業經營的趨勢，但產品整合後，在市場上會不會產生衝突？

答：整合的工作就是一種分工，因為標準開放後整合比以前簡單得多。有時消費者也扮演整合的角色，他會在市場挑最好的分工做整合。重點在於，在專屬性的系統裡面沒有人懂整合，比如說早期國外電腦賣到台灣，像IBM，會派幾個人來台灣住在這裡訓練人才，因為只有少數人懂。標準開放之後，很多人都可以做各種不同客戶需求的整合。

問：宏碁兩次的再造工程你都認為稍嫌晚了，你覺得企業應該在什麼時間點進行改革？

答：再造的know-how能力，應該建立在每一個階層。以英特爾為例，當上層討論說要進行變革時，下面的人早就有這種想法了。

上面是最慢的，很不幸的是，所有再造發號施令的都是在上位的人。所以，如果再造的能力無所不在的話，這個訊息就可以很快往上傳遞，做出決策，甚至於不知不覺中就已經在做再造工作了。

組織需要再造，是因為已經很久沒有去做改善，如果下面的人，隨時都在做小的再造工作，大組織就不用再造了。

問題就在於，到底是領導者要非常善於再造，還是

整個組織要具有再造的能力？這可能是企業生生不息的關鍵。一般而言，再造最大的障礙就是老闆。美國的企業再造一定是把CEO換掉，不換要怎麼再造呢？

不撈過界

問：台灣一些產業，像中鋼、台泥等，也像宏碁一樣養一些網路事業的小雞，不同產業要進化到網路事業，需要有什麼不同的做法？

答：在保護主義下，會產生許多撈過界的問題。亞洲的價值就是撈過界，好像什麼都會。民主社會講究學有專精，基本上很難撈過界，因為每一界的文化、專精都不一樣。就算要撈過界，也不能靠原來全套的方法，而只有部分可以借重，例如形象、資金、一般成熟的管理經驗等。

反過來說，在新領域裡面絕對有新環境的新需求，重點在於有沒有足夠時間建立新的核心競爭力。

在韓國、日本，分來分去就是那幾個大商社、大財團，做得好不好都一樣，因為市場就這幾家公司去分，所以什麼都可以做。這套現在就行不通，想要跨入一個

新的經濟，就要做得像樣，一定要有一套方法。

宏碁的想法就是不撈過界，只在資訊科技產業裡，否則也一定要與原來的事業有關係。很多人曾邀請我當銀行的董事長，我堅辭不就，有兩個原因：一個是不撈過界，一個就是角色扮演會混淆，因為企業家與銀行家是不同專業、不同角色。

這是基本理念的問題，不論一個企業的文化、組織架構是什麼，無非是希望做一個角色就要像一個角色，要確認你不是以大取勝，而是以專精取勝。如果沒有這個決心就只是撐在那裡，是沒有生命的。

問： 在新經濟時代，成功的領導者應該具備什麼樣的條件？

答： 第一是要有前瞻性；第二是要有自己一套看法，如果只是「me too」的話，被領導的人也不會高興；第三是會用人，懂得溝通很重要。

以小搏大

——網路經濟經營之道

處在網際網路時代，
企業的競爭不是比誰的人多或地大，
而是比所創造的價值。
能否創造有價值的位元，
才是網路經濟時代最重要的考量。

網際網路最大的特色，就是到處都有做生意的機會。台灣，到底要如何看待這一波網路商機？

網路帶動了以知識為基礎的新經濟，過去的知識需要透過面對面或書本來傳遞，結果還是要經過原子（有形的媒體），不是非常有效。

網路經濟的知識則是透過位元傳遞，產生的影響無遠弗屆，舊的傳統、價值觀因而受到挑戰。

創造有價值的位元

在新經濟體，致富之道已大為不同。我過去傳授的賺錢模式，儘管有些原則還是可以通用，但受網際網路影響，可能已經不太靈光了。

我認為，台灣應該在網際網路經濟中扮演更積極的角色。因為，處在網際網路時代，企業的競爭不是比誰的人多或比誰的地大，要比的是所創造的價值，比是否能創造有價值的位元。

宏碁集團的「SoftVision 2010」願景裡就談到要「創造人性化的位元」（creating human touch bits），目的是要創造有價值、值錢的位元，這是網路時代最重要的考量。

以台灣的立場而言，如何在網路時代選出一些可以成為世界重心的重點方向，除了電腦、半導體王國之外，在網路

的內容產業裡，台灣有哪種產業可以成為世界王國，就變得格外重要。

▌何謂網路生意

網路的生意是沒有科技的生意，千萬不要誤把網路當成是高科技，其實它是無科技。我當然不是否定網路是一種高科技，但是網路如此分工，有很多生意其實不需要科技。不過，沒有科技的東西要產生價值一定要具有高感性（high touch），雖然無科技卻是高感性，有助於提升人的價值。

網路一方面是新的生意機會，但所有舊產業都可能靠網路出現新型態。另一方面，不要以為現在網路經濟有什麼領先者，就算有少數人領先也沒什麼了不起，目前大家所做的事情都千篇一律，競爭障礙很低，要見真功夫高下，還得一段時間。

何謂網路生意

■一種高科技、無科技的生意。　■一種新舊並陳的生意。　■目前仍沒有競爭障礙。　■有效利用資源，執行創意。　■以知識為基礎的生意。　■超分工整合。

最重要的是，企業在所選定的區隔市場裡有沒有足夠的資源，能否做一些創新把事情做好。

在舊的經濟體做一種生意，要達到臨界規模所需要的資源較多，在網路就不需要這麼大的資源。目前在網路上，有新點子還不是那麼重要，真正值錢的是嚴謹的把創意執行出來。網路經濟是以知識為導向，知識不只是學問，還包括很多「專業領域知識」（domain knowledge）。

網路的價值、回收何在？很多人將網路視為新媒體，要靠廣告來回收；有人視網路為一種通路，是做生意的行銷管道，亦即電子商務；有人則將網路當成一種公共設施，就像水電，用了就要付錢。

網路也是一種新的社群，要服務虛擬社群，會員需要繳會費；網路還是一種技術平台，是安全機制、付款機制等的資料中心，在賣技術的過程中大家超分工整合，再來分帳。網路也是一種顧問諮詢的生意，回收是靠收服務費。

網路生意的挑戰

舊經濟體要改成新經濟體，最大的瓶頸就是人才不足，這是全世界都遇到的問題。如果從台灣的立場來看，網路事業的挑戰在於本地市場太小，經濟規模不夠大，尤其是知識型產業如網路產業，經濟規模愈大效益愈高。台灣不得不做

網路經濟，但是如果不打出去，效益就會差很多。

　　這與硬體產業有所不同，在台灣做半導體可以銷售到全世界，可是在台灣做網路的內容能不能推廣到全世界？在台灣做的網路服務，出了國門，要如何服務國外顧客？到目前為止，網路經濟的進入障礙很低，創新也很有限。

　　現在，網路好像看起來每天有新花樣，但這只是一個新的機會，聞道有先後，有人搶先進入而已，卻沒有什麼創新，只是重複做別人的東西，因此能否永續仍有待觀察。

　　此外，網路的生意模式太新，如何評估其價值也是一大挑戰。美國雖然正在進行評估，也是言人人殊，莫衷一是，銀行界、產業界的資深人員都覺得像霧裡看花，遑論其他人。雖然如此，美國還是有很多人抱著賭一賭的心態，只要有一小群人賭起來，錢就會愈滾愈大。

　　要注意的是，美國是個大經濟體，做同樣東西的效益與台灣做的效果迴然有別，美國對網路的評價無法移植到台灣。熱中網路經濟市場的香港也發現，這個市場是「有行無

網路生意的挑戰

■本地市場太小。　　■進入障礙太低。　　■創新有限。　　■很難鑑價。　　■股價似乎過高。
■投資或輸錢，效益難辨。

市」，沒有流動性，所以，香港對網路的評價也不值得台灣
參考。

從現有的市場來看，網路事業的股價似乎偏高，錢砸下
去到底是投資還是輸錢，效益難辨。

■ 推動網路經濟的三個關鍵

我認為，欲進入新經濟體，要同時存在三個關鍵（見圖
2-1）：其一，要使這個新經濟體活絡發展，必須讓每個人擁

圖2-1　推動網路經濟

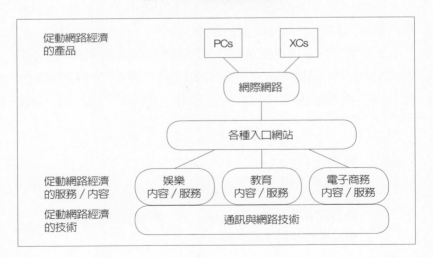

有介入經濟體的工具、產品（也就是促動網路經濟的產品，enabling product），而其使用要像電話一樣簡單，早期是電腦，後來是專用電腦（X-computers, XC）、資訊家電（IA）或手機，這一項對台灣而言相對較簡單。

　　其二，促動網路經濟的服務與內容，要讓消費者覺得很方便、很有用，就要建立一些機制，這些機制是透過各種入口網站，我將之歸類為3E──電子商務（e-commerce）、教育（education）以及娛樂（entertainment）。

　　其三，促動網路經濟的技術，有很多軟體、溝通，甚至於安全機制、付款機制，這些技術能讓服務與設計有效普及。

　　在產品方面，亞洲可以利用電腦與相關零組件的製造優勢，成為世界e產品的供應中心，這是比較容易做到的部分。這個方法可以產生不小的量，但附加價值有限。另外一種方法附加價值較高，就是借重亞洲半導體製造，發展資訊家電與專用電腦，以及研發內建在系統單晶片（system on chip, SOC）裡的軟體，支持促動網路經濟的產品，可以提高附加價值。

推動網路經濟的三個關鍵

■促動網路經濟的產品。　　■促動網路經濟的服務或內容。　　■促動網路經濟的技術。

　　關於技術方面，我不斷強調，技術、產品要全球化，服務要本地化。使用的科技一定要是世界最領先，這不是指什麼技術都要自己研發，這樣成本太高，即使研發出來，與競爭者研發出的技術相較之下，效益可能差了很多。

　　甚至，還要考慮相容性，因為網路是互聯的，技術是否成為世界主流就變得更重要。

　　所以在技術方面，要借重全球的領先者或是得到授權，利用尖端技術做基礎，不然就自己發展技術，也有機會在某個區隔市場裡成為世界領導者，因為網路實在太廣泛了。例如中文的搜尋引擎，台灣就有機會成為全世界的領先者，我們必須專注於此，而且一定要快速適從全球產業標準。

全球化與相容性

　　因為要與客戶做直接連接，網路服務需要本地化。網路是一種國際風潮，從事網路服務，可以與國際企業合作，借重他們的技術與經驗，也可以借用其品牌知名度。

　　我認為，未來在網路做生意，品牌的競爭比實體世界更激烈。原因有二：一是網路品牌太多、太擁擠，品牌愈形重要；二是網路做的是無形的東西，做電子商務信用很重要，有品牌較具優勢。

　　如果做網路服務，顧客關係是最重要的，服務所提供的

資訊內容也要與當地有關。網路的技術應該是全球一致，但
是服務若沒有落實到當地需求，其實就不具競爭力。

網際網路的商機

　　網路裡有很多新的生意機會，人人都有機會，目前雖然
沒有太多創新，但是在超分工整合的趨勢下，未來的生意、
做法，應該還有很多創新的空間，做生意如果沒有創新就沒
有價值。值得慶幸的是，網路的服務需要當地化，假如能夠
做到當地的「地頭蛇」，就可以占到許多優勢。

　　在網路要永續生存，相對只需用較少的資源。這就好比
開工廠要有一定的規模，但是在路邊擺攤、做小店就不需要
多大資源，很多小店、路邊攤的壽命都比工廠還要長。生意
到底要做小而永續，還是轟轟烈烈做大、然後垮掉，這是每
個人的價值選擇。網路的超分工整合，會出現很多區隔的市
場，就像擺路邊攤，一個人就可以做起來。

　　我常常在想，網路的分工整合和以前的分工有什麼不
同？生產線也是分工，但其分工的片段無法獨立生存；而分
工整合代表的意義是，做事情的有效模式在價值鏈中砍成很
多片段，每個片段都是一個單獨的生意，可以獨立生存。

　　以前的分工有上游、下游，客戶、供應商都是固定的；
在分工整合裡，每個分工的上、下游都是不固定的，各自獨

立。這種分工整合的概念，在網路經濟裡將是非常普及的狀況。此外，由於網路是無形的，在量化複製時不需要太多成本，所以只要做對就會有很高的收益。

▐ 網路經濟的價值創造

在網路經濟體裡，價值如何產生？每個人都說B to B（企業對企業）的交易金額很大（大概都在幾兆元以上）、很重要，B to C（企業對消費者）交易額很小、也賺不了什麼錢，所以要集中火力於B to B。但是我發現，在衡量網路經濟的價值時，應以做電子交易時所收的手續費有多少來看，而不是以交易所牽涉的總金額來衡量。

所有的報導都說B to B有多少兆元、比B to C多了多少錢，但是和我的講法相比，何者較有理？如果我是對的，那麼，目前充斥於市場的訊息，都是誤導大眾的，應該要謹慎以對。

以前做生意，是談市場占有率（market share）有多少，網路重視的是創造價值占有率（value share）。另外還有一種似是而非的論調是，在網路經濟裡誰贏了就可以把其他相同競爭者吃掉。我要問的是：「吃掉什麼？」吃掉負數，輸得更多；吃掉零，等於做虛工。況且網路的好處是，即使被吃掉了，還可以重起爐灶。

現在大家都搶著做入口網站（portal），我覺得有待商榷。我要重申，網路是超分工整合，有無限的區隔市場，都可以創造新的價值。

網路還有一個現成的生意：企業現有的作業可以透過網路的機制、技術來降低成本。開創市場不容易，降低成本卻是台灣企業的本領。我們可以利用網路降低現有生意的成本，我相信由這個方法而產生的價值，不輸給新的生意機會。在思考網路新經濟時，也可以套用我的競爭力公式。

台灣網路事業的可能成功模式

台灣尚未出現將來在網路生意的可能成功模式。我親眼看過台灣現在兩個最大的生意機會，一是電腦，一是半導體，台灣成功的模式和美國截然不同，而且是美國成功了以後，過了幾年，在台灣以不同的方式成功。比如說，1985年左右「Computer Land」最成功，是全世界最好的，現在在台

網際網路的商機

■每個人都有新機會。　■有更大的創新空間。
■本地優勢。　■用相對較少的資源，就可以永續經營。　■做對了，可能就會有很高的回收。

灣是聯強最強。

美國有很多電腦公司、半導體公司，經過幾年成長後在世界上立足，其競爭力與台灣產業的競爭力自然有所不同。宏碁的競爭力，就有異於戴爾電腦。

我相信，網路經濟在台灣發生後，其成功模式一定與美國不同。過去做製造代工、設計製造代工，每個產業都有五到十家的倖存者，因為是與國外合作，國外代工委託廠商會在台灣找多家合作對象，me too都無所謂；在網路事業，贏家通吃，me too 的空間也少了很多。

做網路生意需要打品牌，也和代工事業不同。過去電腦、半導體都以製造為主要的競爭力，網路服務則以行銷為主要的競爭力。

投入網路生意應有的認知

將網路視為工具，其空間並不輸給在網路開創新生意，但是現在有太多人都將網路視為新事業，忽略網路做為工具的重要性。宏碁做B to B生意，內部要解決B to B所投入的資金、人力，就遠超過以B to B服務成為新生意的投入。

網路新生意不做沒關係，更重要的是，現在的作業如果不靠網路的話將會大受影響。所以我認為，將網路視為工具是很關鍵的。有很多公司更名為 .com，可能對心態有所幫

助，香港很多公司就是如此，連房地產公司都改成 .com，但是只改名字絕對沒有用。

　　投資於網路的公司，如果把它當作工具沒有問題，但是如果把它視為公司的新生意就有高風險。我們不必趕流行，除非你懂這個生意或者有需要。就像二十年前創業，我不做電子業，也沒有其他路可以走。

　　網路經濟的市場還很小，所有的投資一定要量力而為。如果你為了要符合市場的規模而燒錢，絕對是失策，因為錢燒掉沒有回收，即使走在潮流前端，還是比別人更快「成仁」。市場小，所投入的資源也要相對有所調整。

▌專注分工，掌握多元

　　投資於網路，一定要是能力所及，但是不投資、不介入，根本不可能知道這些知識技術，所以一定也要進入，只

網路經濟的價值創造

■總交易量vs.創造的價值。　　■創造價值占有率。　　■贏家通吃（吃到什麼？）　　■無數的區隔市場，可以創造新的價值。　　■主要機會是利用網路降低現行運作成本。　　■利用「施振榮的競爭力公式」，檢視新經濟所創造的價值。

是不要把它當作一項非勝不可的業務。

　　這個道理也適用於所有新事物，美國創投法律就規定，籌資的錢都應該是可以負擔的，網路是一種風險投資，一定要考慮到能力足以負擔。

　　網路也是一種借重全球化的科技，以及借重全球化的產品，但是網路的競爭力，如果以網路服務而言，就應該以本地化為主，要有非常獨特的競爭力才有機會長期永續發展。

　　我認為在網路裡，區隔的市場那麼多，生意模式是不定型的，將來是合作還是合併等組合模式，態勢仍不明朗。在投資過程中只有一件事情靠得住：你所投資的東西，相對於別人投資的東西，是比較領先的。

　　何謂領先？網路是超分工整合，如果在很小的分工裡領先，你的分工就產生價值。當別人要湊成成功的生意模式時，獨缺你這一塊，你所做的投資就值錢了。簡而言之，就是讓自己在別人要組成夢幻團隊時被挑中。

分工必須有價值

　　在網路時代，合併、購併會變成一種常態，重點在於你的分工是有價值的。發展核心競爭力將是企業的重心，但一個集團如果要大就要多元化，所以如何平衡專注的重心與多元化，非常重要。

　　此外，企業雖然要專注，但是對於多元化的市場、網路市場的動態，以及客戶的多元化也都要了解；也就是說，應專注於自己的分工，但是對於大環境的多元也要有所掌握。

　　在網路經濟，現在大家一味要快，但我認為有效的執行可能比速度更重要，除了快之外，也要做對。做對了、執行得很好，最後結果就會產生快。

台灣網路事業可能的成功模式

■成功模式將與美國模式有所不同。　　■需要發展出一種獨特的方法。　　■成功模式將與個人電腦、半導體模式不同（全球市場vs.本地市場、me too空間小、製造代工／設計製造代工 vs. 品牌、製造vs.行銷）。

網路商機誰來掌控

問：有人認為網路商機未來還是由大企業控制，你是否認同這種說法？

答：目前網路所創造的經濟規模還很小，但是未來會高度成長，這也是為什麼大企業不應該只專注在網路生意。但當網路生意慢慢成形之後就不難發現，現有作業如果能用網路推行的話，企業就會產生新的生命，而且因此所創造的價值，比新的網路生意大得多。

長期來看，由網路創造的價值，現有大企業所創造的會比新企業大得多；但是反過來說，要創造價值也有可能是新舊合作，因為舊企業要讓原來的作業創造新價值，最好與新企業合作。

如果要分網路經濟的餅，還是舊企業分得多，因為它的投資較大。

美國最近就在討論，大企業的 B to B 或 B to C 生意，到底要屬於企業的一部分或是獨立公司比較有利？

有人認為應該是成立新公司，因為文化不同，不受原有大企業影響比較有效；或認為新公司在市場上的市值比較高，甚至比舊事業還要高，如果大企業把原有生意與網路生意分成兩家公司，公司市值的價值將遠超過原來的企業。

　　也有人持相反意見，認為真正創造的價值是透過舊企業所掌握的資源，做生意所需要的知識技術也是在舊企業，新企業只強在技術或觀念，長期而言，創造價值還是要靠舊企業，所以最好隸屬於大企業的一個部門，而非成立獨立公司，對於企業體的競爭力較有效。

　　分開，公司市值高；合起來，比較有效，創造的價值較高。美國大企業為此也很頭痛，因為初期執行在新的企業文化環境較好，但是長期而言，創造價值放在公司裡面比較有利。

以工程師的腦袋計價

　　問：如何評價一家網路公司？

　　答：我可能要被這個問題考倒了，因為我的經驗並不多。我認為要評價一家網路公司，要看它所投入的部

分是否會慢慢建立一些核心競爭力，如果沒有獨特的領先機會而且可能被取代的話，就要考慮是否值得投資。

這就牽涉到另外一個很重要的因素，網路人才一定是不夠的，美國現在要購併網路公司，是看這家公司有多少工程師，以工程師的人頭來計算價格，不管這家公司是做什麼的。

因此，這些工程師腦袋所想的，是否符合你的期望、能否溝通、有無共識，反而比公司做什麼更重要。

對客戶要有價值

問：到目前為止，網路公司都還在燒錢，到底未來會如何發展？

答：現在談網路經濟還有些誤導，認為新的東西值得投資，就算初期虧本也沒關係。但是通信等有形的基礎建設事業的確走在網路服務事業之前，全世界最看好的還是無線的通信，而且要應用到網路上實在很簡單。

我完全同意網路的第一波熱潮是通訊科技掀起的。宏碁集團的網際威信就是提供網路的安全技術，現在已經賺錢了。外界還不知道網際威信這家公司，我們也沒

有做廣告，因為它在幕後，但你要做電子商務非找它不可。我們在創造服務時掌握到的客戶人數，當然有其效益，但重點是，你給這些客戶的價值是什麼？

經營網路生意要有願景

網路生意的模式到現在還未有定論，延伸得愈多，也不代表一定會賺錢。網路最大的效益就是原來已有的東西重複使用，重複愈多，效益愈高。

我甚至認為，B to B只在技術部分有機會，真正的專業知識還是掌握在大公司手上。

B to B是做交易，B to C是做服務，可以將現成的生意轉過來，它的效益最高。B to B不需要打品牌，但是未來要進入B to C需要思考品牌、顧客安心的問題，而且一定要建立付款機制。B to B沒有運作問題，但是B to C有物流問題。

所以在經營網路生意時一定要有願景，什麼是及時要做的就趕快著手進行，不確定的因素就去多了解。我只能說，數位經濟遲早會發生，任何人都無法置身於外，否則就要被淘汰。

建構核心競爭力

問：過去，企業是用專利建構核心的競爭力，在網路時代，企業如何建立自己獨特的競爭力？

答：網路時代當然也有智慧財產的問題，和實體物品的專利與著作權都有關係；軟體當然可以申請專利。未來的競爭，在無形的層次比有形的層次還要多。

智慧財產也包含品牌、顧客關係管理，這些都可以建立競爭障礙。接下來可以建立競爭障礙的就是人力，人力不是指人多，而是一個有組織的團隊，可以留在一起工作的人力。

問：行銷是網路經濟很重要的核心競爭力，要如何在華人市場做行銷？

答：行銷需要了解市場、文化，市場是動態的，需要隨時與社會變遷整合。行銷最基本的經驗、理論，美國最強，但是要把這套知識應用到其他市場，一定要與當地文化整合才能應用得宜。

在華人市場的行銷，我們將來絕對占優勢。現在的問題是誰擁有這個市場？是我們和外商合起來掌握？靠我們自己？還是與大陸聯合？這些都無所謂，但我們一

定要想辦法掌握。

　　因為在超分工整合中，台灣有很好的技術，如果沒有市場可發揮，效益就會打折。為了要發揮效益，給特許讓當地做、和國外公司合作，甚至自己做的方法都可行，重要的是在這個過程中掌握更多的知識技術，從長計議。

　　大陸市場並不成熟，變數很多，如果投入，要確定投入在不會變的東西上。例如建立大陸的團隊，不能控制的因素就很多；但如果是建立技術、發展軟體，風險就低很多，因為不受政經變化影響。

　　要考慮大陸的客觀環境，決定投資的先後順序，即使和當地企業合作，你也一定要掌握第一層的經營者，不論是自己派人去或自己訓練都可以，因為他是未來掌握大陸的龍頭、種子，這種投資一定要做。

做好 B to C 的顧客關係管理

　　問：到目前為止，全世界的 B to C 都還在賠錢，包括最知名的亞馬遜網路書店（amazon.com），累計虧損已達到數億美元，你對 B to C 的前景有何看法？

　　答：我將 B to C 分成兩塊，一塊是實體的東西，一塊是無形的東西。另外還有一種分類，一種是新的東西，一種是舊的東西。不過新的東西不是很多，因為人的生活不需要太多新東西，只是交易的形式、遞送的形式不同。

　　所以，B to C 基本上是問賣的是實體物品還是無形位元，例如：音樂、電子書、軟體、電玩甚至轉帳，都是非實體的東西，透過網路機制，開拓新市場的機會，這是一種生意的模式。另外一種模式，就像做書、票務，現在還是有形、無形混在一起使用，將來應該都可以採用無形的方式。

　　B to C 如果是賣無形的東西，若機制完整的話，成本當然就會降到最低。

　　如果是賣實體的東西，就比較無法降低成本，其好處反而不在交易，而是因為網路全部自動化，作業、庫存可以良好控制，造成成本降低，這也是戴爾電腦從直銷變成網路銷售後效益愈來愈高的原因；它是先拿到錢，再交貨給消費者，庫存是零。

　　從這個角度來看，亞馬遜網路書店所建立的品牌知名度、顧客資料、交易機制等創造了很多價值，要調整

到賺錢的模式當然沒有問題；問題在於投資是否合理，也就是說，對投資者而言，用那麼高的價格投資亞馬遜股票是否合理、能否回收。

美國人的思考模式就是這樣，投資者本來就要承擔風險，經營者就要把公司做大。台灣的企業則不一樣，就算用別人的錢經營公司，為了信用，一定要做成功。

Ｂ to Ｃ 最重要的就是做好顧客關係管理，你的品牌形象是什麼？客戶進入服務之後，與你的關係如何、他的感覺好不好？這些才是最重要的。

網路的範圍實在太廣了，我們應該集中全力在某個領域，變成世界做得最好的。

要面對網路超分工整合無所不在的機會，宏碁目前的確是在發展虛擬公司的計畫，很多作業就用虛擬公司的觀念做，目前還在構想中，希望能掌握一些新的創新機會。

透過網路提高價值

問：伯恩諾柏（Barnes & Noble）書店和亞馬遜書店就很不一樣，伯恩諾柏成立電子書店，是來協助原有

的經營模式,這種模式和亞馬遜哪一種較有效?

答:依照目前的網路經濟模式,我想最根本的概念是,原來的東西有沒有機會透過網路提高價值。

做網路生意一定要有願景,如果沒有願景會走得更顛簸。

這個願景,不是五年、十年,而是兩年之後要建立什麼樣的基礎建設或境界,一步步往前走,只有願景才能比別人早一步達到。

◉ 第三章 ◉

iO

── 知識經濟時代的組織

數位經濟時代，

基本上是以知識為基礎的經濟，

同時也走入超分工整合的模式，

面對這樣的時代，

我提出iO的架構因應，

重點在於它可以有效管理資源。

　　網路的組織有很多種，宏碁推行過的主從架構也是其中之一，但是最進步、最有綜效、最好管理的，就是聯網組織（iO）。網路性的組織雖然在學術界有很多探討，但是我認為iO最有效。

　　我必須承認，提出iO的想法還不是很成熟，因為其中有很多管理的協定需要再花一點時間才能完成，不過正如電腦運作需要一套作業系統，電腦應用則需應用的軟體。

　　由此觀之，宏碁集團已經實際在執行聯網的觀念。我這個聯網組織協定（iOP）的理念，只是版本0.5的測試版，還不到可以正式發表的程度，在此先與大家分享。

▍新世紀，e世紀

　　我用聯網來思考組織架構，是因為客觀大環境已有所改變。我們面對的數位經濟，基本上是以知識為基礎的經濟，同時也走入超分工整合的模式，企業面對這樣的時代，我提出iO架構的重點在於有效管理資源。

　　過去舊經濟所談的資源，指的是水、礦產、土地、自然環境等有形資源，隨著人類的消耗、使用，這些資源愈來愈有限，但有兩種資源卻是取之不盡、用之不竭，愈使用反而愈不易枯竭的：一是無限增加的運算能力，另一種是腦力。人的能力、腦力快速在增加，比起三、五十年前已是完全不

一樣的局面。

　　過去很多管理理念以傳統經濟的模式思考，各種管理理論也以資源有限的思考模式為基礎。現在由於運算能力增強、人才普及，所有思考都要隨之調整。

　　運算能力與腦力的資源不會枯竭，電腦的運算能力從早期的主機，演變為之後的個人電腦，到現在發展成網際網路；人才資源則透過教育、民主的普及，再加上資訊、通訊的發展，造成人才迅速發展，並且到處都是人才。

▋ 知識經濟

　　從傳統經濟轉向知識型經濟，重心也由勞力變為腦力，有形轉為無形，製造導向轉為行銷導向，硬體變軟體，效率變成領導。如果從這個角度來看，在知識經濟裡人才是最重要的資產。況且，經濟模式改變，過去成功的模式在未來不見得能起作用，過去的經驗不必然是有價值的資產，有時甚

知識經濟

■腦力是主要的資產。　　■經驗不必然是有價值的資產。　　■無形的價值提高。　　■創新及創造帶來價值。　　■利潤呈指數成長。

至還會成為包袱。

在新經濟體系，無形的東西愈形重要，它是透過創新來創造各種不同的價值；也因為無形的東西值錢，所以只要做對了、知識正確，又能廣泛傳遞，愈普及利潤就愈大，這也是網路股股價高得無法理解的原因，它的特質和傳統經濟大異其趣。

▐ 超分工整合世紀

在超分工整合的知識經濟中，專精的管理非常重要。企業在鎖定的領域裡，若非做到最好最大，就要結束回家，但也不必因而灰心喪志，即使輸掉這塊領域，還可以經營其他的領域，取得領先地位。

在超分工整合的趨勢中，有個最標準、開放的協定或規格，成為一個很重要的基礎，主要目的是因為客戶需求不斷在變，透過開放標準的協定，比較容易整合成各種不同的市場新需要。

縱觀人類社會與產業的演進，從工業時代發展為資訊時代，再進步為知識經濟時代。產業發展也從垂直整合發展為分工整合，到現在進入超分工整合（見表3-1）。

隨著運算能力、人才普及，組織也跟著演進，可分為層級的組織與網路的組織。在層級組織中，組織愈大，愈容易

表3-1　組織的演進

經濟	產業	組織
工業	垂直整合	層級式
資訊	分工整合	扁平式／授權
知識	超分工整合	網路式

產生上面不了解下面的脫節情形，以及公司決策必須花很長時間和營運成本太高的毛病，因此演變出扁平化、層層授權的模式，以解決層級組織的問題。

　　實際上，網路組織的概念提出有一段時間了，但怎麼樣才是有效的網路組織，目前尚未有定論，仍待探討。

超分工整合世紀

■專精的管理是關鍵。變大，否則就結束回家。
■開放標準的協定是基礎。
■在選定的區隔市場中
■無限的機會。
■易於為顧客的不同需求而整合。

▓ 知識經濟的特質

　　知識型的經濟體有幾個特色，首先是任務不斷在變，而且多元化，市場是多元多變，時間也急速壓縮，經營企業出現更多變數；接著就是無形的價值愈益重要，因此出現很多高附加價值的新生意，不斷挑戰傳統的經營管理方法。

　　由圖3-1可以看出層級組織的問題所在，圖3-1左邊是大家很熟悉的組織圖，層級愈多愈複雜。

　　為了和網路組織做比較，我特別將傳統層級組織畫成圓圈圈（見圖3-2）。由大總部生出一個個小總部，一層層下去，複雜而繁瑣。軍隊、政府組織、生產單位都屬於這樣的組織，對於任務簡單、重複的工作，可以採行這種架構，但是對於變化多元的任務，就無法有效適應。

圖3-1　層級組織的管理

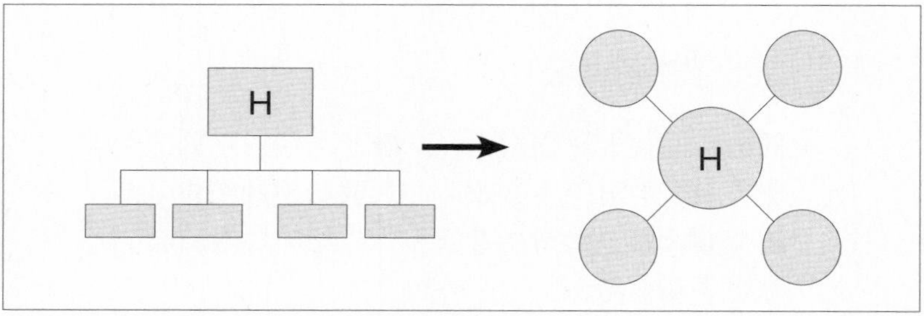

圖3-2　大型的層級組織圖

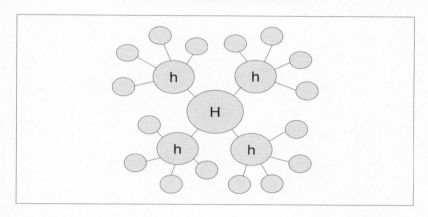

　　網路組織（見圖3-3、圖3-4）利用的是組織協定（organization protocol, OP），這種組織看似集團，卻是一個虛擬的組織，組織的運作靠有關單位相互間的協定、溝通。這個協定是透過虛擬的總部，在新型組織裡總部都比較小。

　　以目前的情況來看，總部大的組織幾乎都是無效的模

知識經濟的特質

■任務多元。　　■市場多變。　　■時間壓縮。　　■無形的價值。　　■新的高附加價值生意出現，持續挑戰傳統管理模式。

圖3-3　網路組織（network）

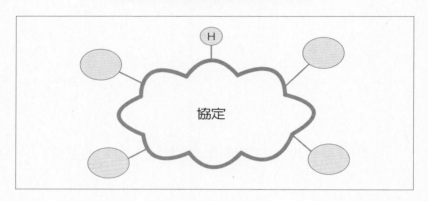

圖3-4　大型的網路組織：聯網模式

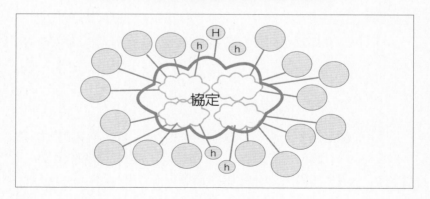

式，不管面對什麼樣的任務，大總部都無法有效運作。只是人性總是如此，總部常常愈長愈大。

在網路組織中，真正作業的是獨立的單位，組織即使複雜也還是虛擬的，大集團有大的虛擬總部來控制，次集團則有小的虛擬總部掌控，因此總部的動作相當有限。每個網路外面都有幾個不同的單位，這是為了劃定的業務特質，可能還要再加一些特別的協定，這些小網路就形成聯網的組織。

只看我畫的這幾張圖，會覺得層級與iO好像都很複雜，兩者到底有什麼差別呢？我想就用圖3-5來說明。

當集團中的A公司與B公司要進行業務合作時，在層級組織裡，一定要經過小總部、大總部參與、同意。最大的難

圖3-5　層級 vs. 聯網

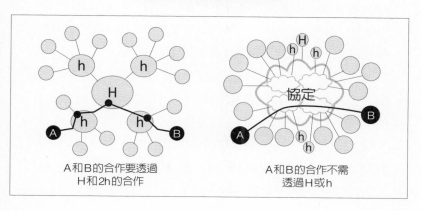

A和B的合作要透過
H和2h的合作

A和B的合作不需
透過H或h

處在於真正了解事情、有專業的，是Ａ、Ｂ公司，但是到了總部，可能不是由老闆決策，老闆的幕僚會先篩選。

所以，在這個過程中，不一定有附加價值的人反而可能「參一腳」，誤了大事。

宏碁的iO

相對，以宏碁的iO來看，Ａ、Ｂ兩家公司直接溝通，做事情是遵循集團的協定，這個協定包括品牌的使用範圍、企業文化、資訊系統架構、工商倫理等等，其他的部分根本不需要總部參與，因為Ａ、Ｂ都是獨立的個體，理應為自己的決定負責，應該直接溝通。

這狀況還只是牽涉到Ａ、Ｂ兩個單位，萬一還有更多單位涉入，在層級組織就變得更繁雜。何況，知識經濟裡任務多元多變、時間也短，天天都有不同的事情，層級組織絕對反應不過來，相較之下iO反而靈活許多。

另一方面，面對市場需要，假設Ｃ公司要進行改變或人事異動，在層級組織都需要總部的參與、簽核（見圖3-6）；但在iO裡，Ｃ公司就可以自己決定。

理由很簡單，因為每個公司都是獨立的，由CEO自己做決策，頂多再由董事會決議，董事會如果做得不好、有意見，最後就由股東大會決定。這一切程序都是獨立在總部之

圖3-6　層級 vs. 聯網

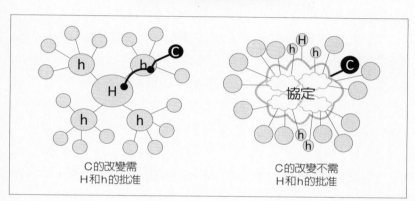

C的改變需
H和h的批准

C的改變不需
H和h的批准

外，母公司不能控制。

宏碁的做法是，每個公司盡量讓母公司擁有的股權不超過50％，這和一般組織的想法不同，一般母公司都想擁有50％以上的股權，好進行控制。iO要達到控制的目的不是靠股權，而是靠共同利益與組織協定。

iO的特質

在iO裡，每個單位都是獨立的，專精在選定的業務範圍，總部不一定控制所有的業務。我在宏碁早已享受大權旁落的樂趣，但很多人常搞不清楚狀況，凡是要採購或介紹人

進宏碁集團，跑來找我都是白忙一場。因為總部沒有什麼權力，每個組織是對自己負責，這已行之多年。

　　當組織愈來愈大，單位就愈變愈多，要有效管理，不論是透過扁平化或授權的方式，都比不上聯網。當 iO 要同時面對數量龐大的網路時，由於管理小的網比較容易，所以要讓每個小網路都有一些協定來控制，然後藉此將許多小網串成大網，這就是 iO。

　　因為每個網都會在自己範圍內管好自己，做好它的功能、服務，但是如果很多網要相互聯繫，就要透過有效的協定網網相連，整合在一起。

　　我始終在思索，從主從架構走入網路架構的要點到底在哪裡？除了網路組織協定之外，我發現 inter 是重要的關鍵，也就是「聯」這個字有其意義，真實世界要用一個網全部聯在一起，實際上並不可能，除非是每個地方都有健全的網。

■ iO 的優點

　　在知識產業裡，企業需要多元專精，如果不專精一定會遭淘汰；可是一專精，市場在變、機會在變，如果不找辦法適當地多元、具備多元的條件，就會擠壓生存空間。

　　因此，企業一定要用虛擬夢幻團隊的模式與其他人進行合作，而最快的方式就是聯網組織，大家有標準協定，很快

聚集在一起產生共識，彼此有默契共同面對各種狀況，iO可以有效達成多元專精的平衡。

此外，以決策速度、成立團隊的速度、變化的速度衡量，iO都比較有效。iO本身也具備彈性，它講究適可而止，到了適當規模開始要進行多元時，就應該將多元的部分獨立成為另一個網站。因為，如果一個網站什麼都包就顯得不夠專精，網站必須做到很專精，讓全世界的人想到做這件事情都會來找你，這就對了。

面對變化、多元的市場，要成立各種不同的團隊、不斷進行組織再造時，iO除了最有效，還可以降低企業總部的營運成本。根據我三十年的經驗體會，總部的營運成本有時是相當可怕的。

我記得幾年前曾經讀過一本書，其中談到有段時間索尼的總部人數急速擴張，競爭力每下愈況，後來決定降低總部的人數。1990年時，宏碁年營業額不到十億美元，總部有三百多個人，現在營業額增加十倍，總部只有一百人。

iO 的特質

■每個單位都是獨立的、專精的。　■總部不會控制每個事業單位大部分的作業活動。　■連結許多有效管理的小網路組織的網路。

更重要的是，iO 是最自然的組織。社會的組織本身就像 iO，在英文裡 entity（個體）、individual（個人）是不一樣的意思，但是在中文裡，法人、自然人都是人，都有人格權，所以為什麼不讓法人組織就像自然人的組織？唯有如此才可生生不息。法人不可能萬萬歲，但是法人的精神、傳統可以透過 iO 代代相傳。

iO 比較符合自然法則，可以永續發展，只是永續的定義不是同一個目標、團體連續下去，而是透過傳承以及配合時代變遷，不斷給予新生命、新使命，一直繁衍下去。

▊ 聯網組織的挑戰

你別無選擇，只能採用一種組織模式或混合模式來處理這些困難。iO 當然也面臨不少挑戰。首先是要清楚界定正確的協定，我們不難發現，就好比打球講求默契一樣，很多協定都是無形的，無法言喻，筆墨難以形容。品牌就是無形的資源，在組織裡的每家公司，借重品牌好做事情，同時又要全力把事情做好，回饋品牌形象。

比如說，公司的形象是透明化、誠信、保護小股東的利益，這些事情就變成集團成員的默契、一種組織的文化，有同樣的文化，大家比較好做事情。

iO 當然也免不了利用有形的資源，如：資訊系統的建

構，在知識經濟裡要透過iO有效運作，一定要建立資訊系統的基礎建設。

網路威力驚人，從科技角度而言，可以處理很多事情，但電腦是死的，所有的電腦一定要照網路協定；人就很難遵循協定，再好的人有時也不按照默契行事。企業營運的任務當然比電腦處理事情複雜許多，以電腦處理人的事情常常不得要領。這其實不是電腦的問題，因為組織需要靠電腦協助處理的任務，本身就不清楚時如何有效運作？

此外，總要有人規範協定，網路的協定由委員會規範，組織也需要有代表性的人組成委員會，大家共同制定協定，而不是由某一個人制定，因為要執行協定的是所有組織的成員。要大家遵行這個標準協定，一定要由大家支持的委員會所擬定。

最難的是，網路的特色是沒有人控制就自然蓬勃發展起來，但是在人的組織裡面，有很多人總是「手癢」，非要控制不可。

iO的優點

■可有效處理多元、專精的平衡。　　■速度、彈性、夢幻團隊，可再造性高。　　■沒有總部的固定成本。　　■符合人性的自然法則。

　　針對網路的許多亂象，有兩派學說爭論，一說要控制，一說不要干涉。組織也一定會有亂象，當亂象出現時，是要介入控制，還是讓它自由發展？再者，面對事業或任務時，整合這麼多人才、資源總是需要一個組織，不管是用層級架構、主從架構或聯網架構，有時甚至要混合不同形式的組織。

　　比如說，宏碁集團是一個 iO，但是在集團的公司裡面雖然是扁平化、授權，但本身還是一個層級組織。生產單位也是很多層級的組織，業務單位的層級就較少，所以為了不同的任務，會綜合不同的組織形式。

■ 台灣的 iO

　　我提出聯網的新概念，自認它是迎接知識經濟、網路時代的有效模式。我特別熱中此道，是因為我親身以 iO 經營宏碁集團，在其中融入台灣的特質。如果大家有機會一起研究世界上最領先的新組織模式，台灣就可以以小搏大，在世界占一席之地。

　　我認為，台灣寧為雞首的文化特別適合用 iO。台灣除了專精以外還要多元化，要多做一些事情，否則市場太小，規模不夠大。美國公司可以專精於某一個業務，做到世界性的規模，台灣沒有這個條件，一定要多元；但是多元而不專精就是無效，多元、專精要平衡，這一點，iO 可以幫得上忙。

　　與美、日比較，大組織系統的運作在台灣相對較弱，有兩個原因：一，日本人較有團隊精神，所以大組織運作較有效；二，美國要演一場大戲，可以把系統做得很好，因為規模大，經驗也比台灣強。

　　這兩種特質台灣都欠缺，我們如果用聯網模式，也許能夠組成較大規模的集團，在國際上競爭。

異業結合

　　在網路時代，一個集團跟另外一個集團甚至可以異業結合，有效變成更大的集團，這可能是台灣競爭力的新模式。集團裡面的每個公司都是獨立個體，可以自己作主，而面對全世界分工整合的需要，到底是一個人出去闖、成群結隊結伴打拚，還是集團與人合作，彈性就變得很大。

　　我同意，只有集團公司才需要用iO架構，重點在於集

聯網組織的挑戰

■界定清楚正確的協定（共同品牌、文化與資訊系統基礎建設）。　　■電腦永遠遵循協定，但人不一定遵循。　　■處理的任務較電腦更複雜、更模糊。　　■協定委員會的有效性。　　■沒有人能控制網際網路，但有些人卻喜歡控制iO。

團組織究竟是日本式的（如：TOSHIBA、NEC）、韓國式的（如：三星集團），或是台灣傳統的集團組織；這些集團都是採用層級組織，透過層級組織，很難面對多元多變的未來市場需求。如果用 iO 形成集團公司，比較有效。

以美國為例，美國很少有集團公司，小國家因為市場小，集團公司較容易整合人才、資金等資源，才能有效長大；但是日本、韓國的集團公司，效益絕對輸給 iO。因為日本的集團投資報酬率不那麼高，也不能為員工創造多少利益；韓國集團公司大，罷工也多，無法滿足員工希望有自己的空間，iO 可以讓有能力的員工有揮灑的機會。

我所說的聯網，是先在同樣一個產業形成 iO，如果在很多不同產業形成，綜效就比不上在同一個產業的 iO。現在產業都是分工整合，所以看財務報表，我們的投資報酬率絕對比日本集團公司高。

不妨回到我的競爭力公式來思考，要有競爭力，不是降低成本，就是創造價值。

層級組織降低成本的空間比較大，iO 比較適合創造價值；台塑集團就是以降低成本做為其競爭優勢。未來的經濟模式是知識經濟，一方面有機會創造價值，更重要的是在創造價值之後，如果是正確的話，它的成本並不會增加，而價值將不斷提升，競爭力將無窮大。

到底台灣要苦守舊經濟模式，還是迎接新經濟？我之所

以提出這個理論，是認為台灣集團企業很容易走入聯網這條路，因為走這條路對我們比較容易，走層級組織的企業會很無效。

未來的知識經濟，可能一家五十人、一百人的公司，在其專精領域內就控制了世界最大的市場，而不是大規模、幾萬人的生產才具競爭力。

■ 知識經濟時代的組織

iO符合知識經濟與超分工整合的需要，對此我深信不疑。聯網是一種非常獨特、有效的模式，能夠幫助台灣企業加強國際競爭力。

很多人抱怨台灣寧為雞首的特性不好，也曾有很多人希

知識經濟時代的組織

■iO適用於知識、超分工整合的經濟。　　■iO是一種有效的獨特模式，能夠幫助台灣企業增進國際競爭力。　　■民主與法治，是有效發展iO的基石。　　■iO中的每一家公司，就像網站一樣，都是獨立且專精於其最佳貢獻。　　■為了共同利益，聯網組織協定是管理iO的根基。　　■領導者必須有分權的管理理念。

望政府效法韓國,培養出一個世界級的大企業,但這些都是舊模式,我們的民族性也做不到。

我深信,iO 可以讓台灣企業在國際上有效競爭。要出現有效的 iO,就像社會要有活力,又要不斷繁榮進步,一定要以民主、法治做為基礎。iO 就是民主、法治,民主就是每個公司都有人權,法治就是網路的共同協定。

iO 中,每一家公司就像所有網站一樣,都是獨立的,各自為政,對自己的事業有最大的貢獻。因為大家都是獨立的,彼此有默契、協定,整體可以快速發展。

建立成員共同利益

在 iO 裡,要建立所有成員的共同利益才能有效管理。當然,組織的領導者也一定要相信分權的理念,不僅如此,還要享受大權旁落。

這就好像一個大家族,若要興旺,家長一定要讓小孩完全獨立,讓他盡量發展,家族才有機會生生不息。過去所謂「富不過三代」是在層級組織的架構,如果不用層級組織,應該可以永遠傳下去。

網路在 80 年代出現,真正開始熱門也不過這五年。一個東西從出現到具有效益需要很長的時間,我的 iO 概念還很粗略,但我絕對相信它比傳統組織成本更低、更有效益。

問題與討論

網路協定，興利重於防弊

問：iO最關鍵的應該就是公司的高階主管，如果主管表面上遵循協定，但實際所作所為卻違背，應該如何制衡？

答：這有兩個層次。首先是文化層次，以宏碁為例，宏碁的特色、文化是由小而大，慢慢形成，企業文化一直往這個方向塑造，任何一個主管若不配合企業文化的方向，不只上面對他施壓，下面同仁也會給他壓力，自然會有無形的壓迫感，讓他無法違反這個默契。

不過，默契不是死的，它是一個大方向，不是說只有這樣、那樣才是對的。

就像我過去一直強調，企業文化的原則是不變的，但詮釋方法可以不斷調整。

如果主管明顯違反協定，例如，使用品牌識別系統有一定的規則，有人違反，總部有人負責全員品牌管理，會直接通知當事人糾正。

當一件事情妨礙他人時，就好像出現一種病毒，必須去解毒，而且要根據這個病毒的狀況，開發出更好的防毒技術。協定也是如此，不斷出現問題後，透過委員會開發出新的、有效的協定。其中重要的關鍵是：協定的制定是以興利還是防弊為出發點？

網路協定還是應該興利重於防弊，就好像我們無法阻擋網路色情，但是相對於網路所帶動的正面進步，我們不可能因為有色情網站就全然放棄網路。

企業文化穩固 iO 協定

問：所謂的 iO 協定是靠默契，但集團成員大幅增加後如何培養默契？靠文化還是共同利益？

答：我想，問題在於有沒有選擇的空間。組織要不斷發展有兩個選擇，一種是用層級組織，一種是用聯網，如果這兩種組織都會產生問題，就要問哪種組織可能有效解決問題。

文化要變成集團成員共同的協定，本來就需要時間；一個人能夠影響的層面非常有限，企業文化要擴張，我認為透過 iO 比用層級組織更有效。如果只是從

生產、打仗的角度，任務很清楚，就盡量用層級組織。

　　不過，企業文化實在很廣泛，雖然可以定出原則，但每個小單位可能由於業務不一、層次不同而有不同解釋。要有效運作，我相信還是iO。iO可以先管理一個個容易管理的組織，再利用網網之間的協定有效運作。

　　以宏碁集團的立場，每個公司都能完美獨立運作，比一個大而無效的組織要好得多。

　　這就好像你要選擇一個有一百家公司的集團，其中有七、八十家做得很好，一、二十家做得不理想，大家都在替集團爭光；還是選擇要一個大集團，卻無法有效管理？因此，iO是我選擇建立的模式。

　　宏碁的企業文化，當然不見得各級主管都遵行，或許缺乏信心的人就不遵循「不留一手」的文化。我只能說，如果是人才的話，在網路組織比較不會被埋沒。

　　當然，我們也不能保證大家都不違規。宏碁集團也曾介入處理一些違規的公司，識別系統的使用是看得見的，還有許多看不見的違規，例如企業倫理。集團曾有公司急著上市，我們覺得不盡理想予以擱置。這也是很重要的協定，會影響集團的形象。

資源、權責，親兄弟明算帳

問：iO裡，是否可能某一個部分仍然採層級組織？資源、權責又如何界定？

答：這要分成兩個層次，在公司組織下還是層級式的，而且要盡量扁平化、授權，只不過內部事業單位變成聯網。iO的特色是每一個點都是五臟俱全的麻雀。

我要特別強調，宏碁以前的策略事業單位（strategy business unit, SBU）、區域事業單位（regional business unit, RBU）是採用主從式的架構，無法用聯網的概念。因為SBU、RBU並不完整，無法用端對端的方式管理，所以後來要整合成全球事業單位（global business unit, GBU）。

我們在海外的單位屬於層級架構，公司對公司還是層級組織。

如果有選擇的機會，我會試著看看，一個大組織有沒有機會切成很多個獨立、能夠永續的網路組織，它可以獨立存在，也有永續的能力。

至於資源、權責的界定，則「親兄弟，明算帳」。

每家公司都是獨立個體，有形資源就用一般交易模

式；無形資源有很多分不清楚，就盡量分享。以品牌的應用為例，每家公司貢獻一部分盈餘到總部，由總部統籌運用，運用的結果還是要分到每家公司。

我們責成每家公司必須編列為宏碁宣傳、塑造形象的預算，大家都有責任。

無形的東西需要分享，要分享就要定一些協定，這其實是最難的。但是在知識經濟，這些無形的東西反而更重要，不管是管理的知識、文化或形象，都是企業發展最關鍵的要素。

宏碁成立標竿學院，總部規定所有公司要付錢給標竿學院，由標竿學院提供機會做教育，但還是有其自由度，錢繳了不來上課也沒關係，雖然還是會有人監督適度表達關切。

我們有很多規定，都是抓住精神、保留彈性，至於權責，每家公司都是各自為政，委員會當然有任務制定一些共同協定。

有效解決多單位的問題

問：在這麼複雜的時代，iO真的能掌握、支配所有

組織的細節？

答：環境的確很複雜，問題是你如何解決問題？你可以花很多精神、用很複雜的架構，針對很複雜的問題採取對的行動，但是弄出來之後可能沒有人看得懂。何況這個複雜度是多元多變，iO 因為有共同利益、共同協定，希望讓大家很容易遵行，再來面對複雜的狀況。

我還談到，每個人處理各種狀況的能力，也就是腦力，相對已提高許多，iO 符合台灣的天性和文化、知識產業的需求，也符合超分工整合的需求。

問：iO 裡如果有很多單位時，要如何有效管理？

答：我的 iO 示意圖就是針對很多複雜的點所提出的觀念。在層級組織中，如果出現很多點，組織就變得很多層，上下溝通會出現問題，下面出了什麼狀況上面可能還不知道，無法及時應變。

iO 可有效解決這個問題，它把能夠管理的三、五個單位變成一個網，然後制定一些協定，這些協定並不違背大集團的協定，如此運作下來可以解決點多的問題。

我想，未來的業務愈來愈需要點多的模式來面對。因為相對於以前，未來市場多元多變，任何產業都是如此，因此傳統的層級組織一定不符所需，只有在任務單

純、重複的小範圍裡才比較有效。

　　過去宏碁採用的主從架構雖然各單位獨立，最大的問題是無法永續。聯網的組織架構裡會形成一個個獨立永續的單位，好處是沒有依賴心，不得不競爭，自己不斷精進發展，有危機意識，使得組織不至於老化。

　　問：協定的產生是交由委員會制定，委員會的成員會不會制定出一些不適宜的東西？

　　答：委員會主要目的是找出大集團共通點，形成共同的協定。

　　我要強調，委員必須具有代表性，可分成兩種，主集團的代表性可能是次集團最高的CEO來形成，次集團的CEO中，例如，做網路服務的人，有很多都是年輕人，他們可以自己形成一個小範圍的協定，但是要確定這個小範圍的協定與大集團的協定沒有衝突之處。

　　經過委員會的過程，形成大家都能夠符合多元專精的能力，達成適合組織任務的協定。

思科模式 vs. 宏碁模式

　　問：iO理論可以用兩家公司的模式來比較：美國思

科公司（Cisco）透過購併小公司形成夢幻團隊，宏碁集團則以生小碁、孵小碁的方式形成 iO，何者較有效？

答：美國文化和宏碁文化是背道而馳的，美國文化是美國主義，一切都要控制；宏碁用的是分散式管理，不想控制。

思科在美國、甚至在全世界，都占有很大的市場，為了產生力量，就要不斷購併新產品、新技術，它是一個大組織，只有一種文化，公司的協定只有一種，也就是強勢的文化。

思科購併一家公司之後，一定派一組人進駐，強勢灌注母公司的文化，接下來規定所有購併公司的資訊系統一定要遵循思科的系統，這是美國的有效模式。

宏碁的模式不只有孵小碁，孵了之後還要讓它獨立，這些小碁有我們的血統，但我們希望它能愈長愈大，而且做得比母碁更好，逼著它往外移。

我們還讓更大的集團在外面養碁，不論是透過創投還是加盟會員的模式，以形成 iO。我想和大家打個賭，看二十年、五十年之後，思科在不在？宏碁在不在？

協定讓集團有效運作

問：集團公司的CEO，要如何透過共同協定，形成共同利益？個體如果違反共同利益，又要用什麼機制導正？

答：共同利益分有形與無形兩種。營運單位的所有幹部都是公司的主要擁有者，真正最大的利益都在經營者手上，他有為公司經營出最好績效的動機。次集團公司的CEO會和其他公司的利益有關係，這不只有業務，而是透過個人股權的掌握，所以他也希望看到次集團其他公司經營得很好。

整個集團各公司的績效都和高級幹部個人利益有關，這是實質共同投資所形成的關係。

二是集團品牌的共同利益，有品牌總是比較方便，從銀行關係、業務、找人才都有好處。各公司對外總是要符合品牌定位的形象，並且還要加強品牌，不只是要享受無形的好處，也要回饋、貢獻好處給品牌，這樣協定就自然形成了。

問：iO是透過網際網路溝通，集團文化是否因此蕩然無存？

　　答：iO是透過網際網路的科技做為知識分享、合作的工具，需透過長期運作，就像家族一代傳一代，慢慢發展出來，不是硬生生瞬間將二十家公司變iO。先有一個核心慢慢向外拓展，將原來的企業文化帶出去，利用聯網的協定，資源的分享較有效。

　　我們當然也有一些在外面自己長出來的公司，原公司融入較少，但它的經營績效較不理想，所以協定是集團有效運作的重要因素。

　　問：網路時代很像中國的春秋戰國時代，有王霸之分，只要是王道，就可以近悅遠來；網路裡面有大大小小的公司，誰的文化好就可以吸引更多人才，創造更大的利益。這樣的說法是否能夠成立？

　　答：美國絕對是霸道，但是它很強；中國強調王道，卻積弱不振。未來的挑戰是如何既要王道又要很強，重點不是誰贏誰輸，而是整體社會的進步。

　　如果以知識的創造而言，春秋戰國是知識創造的黃金時期，說不定二十一世紀就是百花齊放的知識社會。過去知識賺不了什麼錢，未來知識就是經濟，透過知識經濟來富國、強國，王道也許是可行的辦法。

台灣新願景

—— 高感性、高科技

台灣的新定位是「軟硬兼優」，
這符合過去談到的很多理念，
如人文科技島，人文是軟，科技是硬；
綠色矽島，綠色是軟，矽島是硬。
軟硬要平衡、並進發展，
台灣有高科技發展之後，
一定要強調人文科技的平衡。

　　我曾經參加過六、七次策略會議，每次都覺得非常有成就感。在這些策略會議上，大家腦力激盪，無話不說，很是過癮。更重要的是，如果回想五年前甚至十年前，在策略會議上所定出的願景、目標，發現與真實狀況相符，更是倍感欣慰。我們能準確預言，因為會議並非一言堂，大家集思廣益，結果呈現眾人智慧的結晶。

　　宏碁集團曾在 1997 年舉辦一次策略會議，面對 2010 年的軟體發展，定出「創造人性化位元」的願景，目標是集團三分之一的利潤、六分之一的營收要來自軟體事業。

　　策略會議所定的目標似乎都很籠統，但其好處是精簡，開完會後經過去蕪存菁，留下幾點精要的共識，之後大家就一致朝此方向努力。

　　數位新世紀轟然而至，台灣資訊產業面對新局，需要何種不同的思維與行動？ 2000 年 5 月底，我與台北市電腦公會理事長和幾位理監事進行了一次策略會議，得出一些結論，在此與大家分享資訊產業界對於台灣未來發展的看法。

▌為何需要新願景？

　　為什麼需要一個新願景？我們當時定的是西元 2000 年的目標，至今 2000 年業已過了大半，其實應該在兩、三年前就召開這次會議結果會更好，不過面對內、外在環境劇變，我

們不得不擬定新願景。

後 PC 時代已經來臨，再加上網路經過這幾年的醞釀，以美國為主的數位經濟浪潮席捲全球。回歸到我的微笑曲線理論（見第 52-53 頁），左邊、右邊較有價值，目前台灣的資訊產業已穩穩站居中間，我認為，未來十年之內，還不至於出現真正的競爭對手。

值此關鍵時刻，我們更要利用這個基礎，盡快往左邊、右邊發展，加強智慧財產、軟體、服務創造的價值，這是當務之急。

此外，台灣內部環境也出現變化。台灣資訊產品是全球第三名，軟體產業仍大幅落後。

我們認為，資訊產業蓬勃是讓台灣免於金融危機的重要因素，對台灣經濟發展有正向回饋。

誠然，這幾年國內不時浮現地雷股、金融風暴，但都沒有引起全面性恐慌，我認為很多有問題的公司，是因為經營

為何需要新願景

■外在環境改變，例如：後 PC 時代來臨、網路帶領數位經濟、軟體與服務創造更多價值。　■內部環境改變，資訊產品已是世界第三，超越 2000 年的目標，但軟體產業仍大幅落後，而此時資訊產業是台灣經濟的核心。

理念、手法不能配合時代需求，若無法及時求變，終將遭到
淘汰。

▋ 原 2000 年願景

　　1993 年 2 月，我以台北市電腦公會理事長的身分，邀集
業界研商 2000 年的願景，當時我們提出成為「世界一流的
資訊產業、國際公認的科技重鎮」的願景。令許多人好奇的
是，為什麼由台北市電腦公會出面做這件事情呢？這和政府
相關法令有關。

　　《人民團體法》有瑕疵，電腦產業附屬在家電業之下，
是以台灣並沒有全國性的資訊產業公會，但現在台灣家電業
的規模已不若電腦業。當時，由我當家的台北市電腦公會，
比較強勢，做的事也受到各界認同，得到各理、監事支持，
因此順水推舟，做了很多事情。

　　在 1993 年的會議上，我們定出一些具體目標，追求要在
世界上有幾項主導的產品。台灣雖然無法真正主導主流產品
的標準，卻發揮了關鍵的影響力。例如，PC 的 Bus、PC133
和 Rambus，台灣產業就影響了世界的標準。

　　我必須坦言，要主導標準並不容易，有時還會橫遭政治
干預。

　　其實，跟著標準走也無妨，因為定標準很辛苦；我只是

擔心，台灣資訊產業規模變大之後，如果無法掌握標準的方向，會陷於不利的位置，我們不能閉門造車。

原2000年目標及達成狀況

還好，很多標準要落實到大量商品化，台灣是不可或缺的角色，基本上我們還算安全。

此外，我們還定出國內個人電腦的裝置量，要超過五百萬台，整體硬體外銷要達到四百億美元，軟體是一百二十億美元。

如今檢視成果，硬體超過目標，軟體還差了三分之二。理由有很多，國內市場太小，但是我相信以後會有機會。因為台灣硬體基礎好、網路普及，隨著硬體與企業的國際化，

台灣電腦產業2000年目標及達成狀況

■至少五項主流產品標準，獲得全球第一，結果共有十三項產品達成，如：監視器、筆記型電腦、主機板等。　　■國內PC裝置量超過五百萬台（當時預估，2000年可達五百四十九萬台）。　　■硬體產值四百億美元，軟體產值一百二十億美元（當時預估，硬體產值可達四百五十七億美元，軟體產值可達三十九億美元）。

可開拓到鄰近亞洲市場。

　　值得警醒的是，如果我們不積極開發應用軟體，只抱住現有成果，未來可能就沒有太多附加價值。

■ 創造價值不能抱殘守缺

　　1996年，中華民國軟體協會邀請我去演講，我直率的批評，台灣軟體業疲弱不振是心態的問題。在美國，軟體地位非但不比硬體矮，反而居強勢主導；反觀台灣的現實環境，硬體絕對比軟體強勢，諷刺的是，軟體工作人員比硬體的人還要資深。

　　這種心理因素勢必要解決，軟硬體應有效互相提攜，不能分道揚鑣。

　　早期我們做硬體時還被一些做軟體的人譏笑，說我們根本不懂電腦，他們也不是目空一切，做硬體的人介入資訊領域確實較晚。此外，台灣軟體產業多半是外商來台投資，專看台灣的市場，欠缺由台灣打出天下的企圖心。

　　最糟糕的是，這些軟體產業都集中搶政府的生意，我曾經說過，政府的生意是全世界「最無效率」的生意，一件案子做了好幾年，完工後的know-how無法重複使用。在知識經濟時代，最重要的就是能重複。

　　還好，最近這種情形徹底改觀，由於企業、民間網路普

及，市場變大，軟體公司未來的獲利空間與發展前途，有了樂觀的圖像。

▌ SWOT分析

就像所有的策略會議，定出目標後就要進行SWOT（優勢、弱點、機會、威脅）分析。以台灣的優勢而言，半導體、電腦產業均屬世界級，加以台灣企業具備速度、彈性、創業精神，工程師素質高，在國際全球分工整合趨勢中，台灣對要扮演的角色已駕輕就熟，與國際關係密切。

就以2000年6月在台北舉行的世界資訊科技大會（WCIT）為例，全球資訊界重量級人物，如微軟總裁比爾‧蓋茲、思科總裁錢伯斯、惠普總裁菲奧莉納，同時都到台灣，無一缺席，此盛況在日本等先進國家還不曾發生，不啻

SWOT分析：優勢與弱點

■優勢：IC及PC相關產業均屬世界級、華人市場經營能力強、具備速度／彈性及創業精神、工程人員素質高、與國際公司策略聯盟。　■弱點：通訊與網路基礎建設不足、品牌力不足、本地市場太小、軟體產業的規模／資訊應用不足、非技術及製造業的國際化人才不足。

象徵台灣在國際資訊產業的重要地位。

台灣的缺點是通信網路的基礎建設不足。我認為這一點相對簡單，當然也需要法令配合。硬體基礎建設比較容易投資，但是軟體的管理卻很困難，台灣的網路基礎建設其實還很落後，應先加強這部分。

此外，台灣產品品牌力不足眾所皆知，只是這很現實，要突破困難的成本很高，短期內不容易解決。最後，台灣國際化的製造、技術人才很優秀，但是行銷、財務、管理等國際化人才大幅欠缺。

美國亞利桑那州雷鳥商學院（Thunderbird Business School）的成立，正是因為五十年前美國體認到國際化人才不夠，亟需一所專擅國際企業經營的學院。遇到問題就要去面對、提出行動方案，才可能迎刃而解。

▌ 從電腦王國變成資訊家電王國

台灣的機會點是，要從電腦王國變成資訊家電王國，應該是易如反掌。接著是成為華文服務與內容的供應中心，台灣有條件也有挑戰。

台灣的條件是社會民主自由、教育普及；市場規模在華人市場中，比新加坡、香港大，在內容、服務的創新上比較有條件發展；要有效整合兩岸資源，並與國際分工整合接

軌，台灣也有利基。

繼個人電腦、半導體產業稱霸全球後，台灣在通信產業領域也有很大的空間。

▌需做好迎接新經濟的準備

台灣最主要的威脅當然就是兩岸關係，但掌控權並非操之在我。在台灣經濟發展中，政府的財團法人是重要的推手，只是時移勢轉，這些機構不再能配合產業需求。

目前的財經政策早已不符所需，不要說政府無法配合數位經濟（這的確是個威脅），以我的觀察，社會與教育體系也都還沒準備好迎接新經濟。

在數位經濟時代，學校所教授的知識如會計原則等，還是舊經濟的原則，新經濟的原則尚未有定論，所以不僅政府

SWOT分析：機會與威脅

■機會：變身資訊家電王國、成為華文服務及內容供應中心、具有效整合兩岸資源的利基、有條件發展亞太的電子商務及應用軟體中心、無線通訊市場有很大空間。　　■威脅：兩岸關係、財團法人角色不再配合產業需求、財經政策與法令規章無法配合數位經濟發展。

政策跟不上時代走向，教育內涵也跟不上。

　　我曾和美國洛克斐勒參議員談過，他很擔心美國幼稚園到中小學的教育無法應付新經濟的要求。反思台灣，有多少人擔心這些問題？政治人物有沒有為大環境做必要調整、提供給社會一個更好環境的心？

　　在願景會議上，要用SWOT檢視內外在大環境，精簡所有結論，最好是每個大項內的要點濃縮不超過五個。在擘劃願景時，每個人盡量丟出一些關鍵文字，如：創新、資訊應用、數位經濟、典範等等，最後再精練為漂亮的一、兩句話。

　　但是，光作文章還不夠，在作文章之前，大家應該先討論願景的主要元素、關鍵字是什麼。

　　我們討論台灣2010年願景時，認為關鍵字是資訊應用與面對數位經濟，資訊應用要創新，數位經濟要領先。我們談的是典範，美國新經濟的發展值得全球參考，但對其他落後國家而言卻不一定是最好、最有效的典範，台灣的發展過程可能更值得仿效。

■ 軟硬兼優的新台灣

　　在策略會議上，我們定位台灣是軟硬兼優。這也恰好符合過去談到的很多理念，如人文科技島，人文是軟的、科技是硬的；綠色矽島，綠色是軟的、矽島是硬的；高感性是軟

的、高科技是硬的。

軟硬要平衡、並進發展，台灣有高科技發展之後，一定要強調人文科技的平衡。

還有一點很重要，過去是以犧牲環保換取經濟發展，如果不是犧牲環保根本不會有經濟；但面對未來知識經濟，運算能力、人力大量普及，未來的經濟發展不應再犧牲環境。環境是有限的資源，絕不能無限制使用。面對新世紀，不必破壞環境經濟照樣能夠成長，這是新經濟的契機。

台灣要成為世界資訊應用的創新者，是以資訊產業為基礎，創新應用為重點，以開創世界級知識產業為己任。這裡要特別點出，我們一定要在應用方面創新。

我不斷強調，技術是全球的，在美國技術創新後，我們就不必費心於技術創新；應用是無窮的，台灣可在應用創新面向上多多揮灑。

要成為全球數位經濟的領先者，是應用資訊科技豐富數

軟硬兼優的新台灣

■世界資訊應用的創新者：資訊產業為基礎，創新應用為重點，以開創世界級知識產業為己任。
■全球數位經濟的領先者：應用資訊科技、豐富數位內容，發動經濟轉型，成為全球典範。

位內容,把很多人類的文明、創造變成數位化,然後發動經濟轉型。新經濟比舊經濟更具效益,在這個過程中,我們希望台灣能成為全球典範。

■ 不同時點,不同目標

抓穩願景的方向之後,接著要訂定未來五年、十年的目標。我們希望2005年是電子化的台灣,60%的企業及機構、90%的家庭都要電子化。資訊家電王國的目標,則是成為全球設計製造代工的供應中心。

目前已經是如此了,但我們認為,台灣的資訊家電必須在亞太地區創造幾個知名的品牌。

一個國家通常要好幾個知名品牌以襯托其強勢,我們期許台灣創造更多的品牌。另外,數位服務也是一種品牌的生意,只是其產品是無形的,希冀台灣能創造一些亞太地區的數位服務品牌。

到了2010年,期待台灣能成為亞太電子商務中心,有部分資訊家電躍升為世界知名的品牌。資訊家電有很多種,手機、智慧型手機、PDA、遊戲機、電話機,都有大幅成長的空間。

以手機來看,目前全世界手機的營業規模已超過電視機、錄放影機與音響的總和,由此可見,未來資訊家電所產

生的規模還更可觀。

　　資訊家電背後的服務、軟體供應，其經濟規模又會超過資訊家電，我們可以以台灣為基礎，變成亞太地區的供應中心，也希望台灣成為東方（oriental）數位內容（contents）的世界供應中心。

　　不管從行銷或服務的角度，如果台灣能做得比其他地區更好，將會成為世界進入東方數位內容的入口網站。

▌實現願景的策略

　　為了實現規劃的願景，我們也提出一些相應的策略。首先，政府、企業的資源都應隨著時間變化而調整，將資源用在關鍵之處。

實現願景的策略

■政府資源的重新調配。　　■創造資訊應用的內需市場。　　■加強企業e化獎勵誘因。　　■加速e化人才的轉型與培訓。　　■塑造有利的創新環境（獎勵）。　　■善用中國大陸市場與資源。■加強政府與企業國際行銷能力。　　■產業與政府的新互動機制。　　■產、官、學擬定重點應用開發項目，樹立成功典範。

　　第二，要創造內需市場，美國的經濟發展是以刺激消費為火車頭，台灣則反其道而行是強調外銷，未來知識性產業要發展，必得以內需市場為龍頭。

　　第三，企業要轉型，包含設備、軟體與人才，需佐以誘因激勵，加速企業電子化。

　　此外，長期而言，創造有利的創新環境、善用大陸資源，對台灣企業都非常重要。

　　我曾說過，台灣最需要國際行銷的能力，這必須建立在人的訓練上，除了上課聽講之外，還要施以各種不同的計畫訓練，在培訓過程中建立行銷能力。

　　此外，還要研擬一套政府與產業新的互動機制。

　　我這次請電腦公會的理事長舉行策略會議，就是一種新機制，肇因於當初經濟部部長林信義在就任前請我個人提供意見，但我並不願意，因為過去台灣企業官商勾結，正是出於企業家單獨與政府交流，這不是一種好的互動型態，於是我邀集同業討論，集體建議政府。

　　政府施政當然需要關說，但關說應該透明，而且是為共同利益而非個體利益，我認為政府應建立這樣的機制。

　　原本我們擬定的成功要素有九項，最後挑出四項為主打重點，分別是誘發活絡的內需市場，有效提升國際品牌力，擬定具體可行的大陸投資規範，以及提升人力的質與量。以下就針對這四點要項，分別提出具體行動方案。

▋ 誘發活絡的內需市場

要誘發活絡的內需市場，三年之內加速企業e化，提供高額投資抵減。三年期限表示有落日條款，因為這三年是關鍵時刻，以高額投資抵減為誘餌，實際所需金額也許不多，但是對推動企業電子化卻助益匪淺。

此外，要鼓勵傳統產業加速轉型，提高競爭力，財經兩部對於傳統產業的轉型應提出具體方案，其中一定要有電子化，電子化絕對是傳統產業提高競爭力重要的推力之一。

第二，成立三年新台幣一百億元的教育／文化內容開發預算，由民間投資主導開發。原本我們打算建議一千億元，最後還是盡量務實，以一百億元的預算變成教育數位化的市場，在政府規範之下由民間自行開發。如此一來，應用軟體、內容產業自然會蓬勃發展。

第三，目前B to B的討論已經很廣泛了，接下來就應該提供B to C電子商務交易，美國有些州（如：維吉尼亞州）

成功的關鍵因素

■誘發活絡的內需市場。　　■國際品牌力的提升。　　■具體可行的大陸投資規範。　　■人力的質與量。

主張所有電子商務的交易都免稅，我期期以為不可，雖然這是種很有效的獎勵方式，卻會造成稅負不公。

我想到，統一發票是台灣獨有的特色，何不用高額摸彩來獎勵電子商務？如果B to C有電子統一發票，獎金是現有實體發票的五倍或十倍，就可鼓勵民眾參與電子交易。

這一切，都是獎勵需求面替代供給面的觀念，與傳統的獎勵投資大不相同，傳統的獎投都是以供給面為思考重點。

教改也有類似的突破性思考模式，例如政府發教育券，家長憑券自由選擇小孩的教育，這也是從需求面刺激。我認為，刺激需求面更符合自由經濟的原則。

■ 提升國際品牌力

有關提升國際品牌，我們談最多的就是馬其頓的案例。政府斥巨資建交，如果將部分預算轉換為技術、科技援外，因此而產生的商機就可讓廠商創造一些市場。既然大家同意台灣要成為數位經濟發展的典範，以此方式宣傳台灣是新經濟的領航者，效果豈不更顯著？

台灣的民主發展已有絕對成就，再做宣傳有其局限，不若改而宣傳台灣是新經濟的領航者，既無政治問題，對國家形象助益更大。

數位經濟會有許多創新的產品與服務出現，台灣可以趁

機舉辦一些競賽活動，以國家產業的力量推動大型活動，這也是行銷力的展現。

此外，要推動世界級的數位服務旗艦計畫，其中包含B to B、B to C、G to C（政府對消費者），我們可以先挑B to C試做，以電子發票摸彩為號召，如果能變成世界最領先，對台灣定位有加成之效。

大陸投資規範與提升人力質量

我對於安全範圍有個定義：投資太小不安全，因為大陸根本不在乎；投資太大也有危險，核心能力一定要根留台灣；所以一定要有個安全範圍，在這個疆界內應主動積極。

過去法令雖有規定，但是企業偷跑政府也冷眼旁觀，今後必要避免違規偷跑。至於安全範圍要如何界定，有待經濟學家建立一套模式，這模式應包括產業別、公司規模、科技等級、信心指數等。

台灣應善用大陸市場與資源，尤其在資訊應用服務，如果沒有大陸市場，台灣就英雄無用武之地。要打這場仗，光靠台灣的人力資源絕對不足，連比爾・蓋茲都抱怨美國鬧人才荒，希望美國政府開放移民政策，何況是台灣？

這就牽涉到台灣的移民政策不夠彈性，馬來西亞多媒體超級走廊的計畫，其中有項子計畫就是移民，凡是技術人才

就全部開放。

我們建議，留美、住在美國一段時間的大陸人才，可以長期到台灣發展，如果是住在大陸的人才，則可短期在台灣。

政府資源要重新調配，我們認為財團法人對台灣高科技發展貢獻卓著，但在未來可重新調整。另外，政府的預算可有愈來愈重的比例由民間主導，主要理由是若由民間主導，所借重的民間投資金額就會更大，商品化過程更快。由民間主導，也可以整合研究機構與學術界的資源，在時效、方向上較能奏效。

▌擬定知識經濟的發展策略

除了上述四個關鍵因素、具體行動方案之外，我們發現，擬定知識經濟的發展策略是國家當務之急。發展知識經濟雖與資訊業界息息相關，但也不單是資訊業者一己之事。

未來高科技的發展舞台幾乎已經定型，但是如何應用科技，發展以知識為導向的新經濟，各行各業都要納入思考。

這場戲已輪到非科技的各行各業人員主演，看他們如何利用科技來創作，這些 know-how 都是知識經濟的一環。我認為，最重要的知識產業就是教育，台灣的教育能不能外銷、擴大，都是下一波要思考的重點。

我還想建議，過去政府做策略會議，都是由幕僚人員找

國外專家替我們做策略發展計畫，我覺得這種方法要改善。

既是國家知識經濟發展策略，理當找政務官、做決策的人參加，因為資源掌握在他們手上，由他們做腦力激盪，擬定發展的願景、策略，幕僚人員、執行單位就做規劃、調整，逐步推動。

▓ 消除數位經濟落差

面對未來的數位經濟，資訊的應用是新的核心競爭力。台灣應定位為亞洲知識產業的營運中心，知識經濟包含很多產業，每個產業都要往知識含量大、高附加價值的方向發展，形成新的知識經濟體。

內需市場是關鍵，不管是綠色矽島或人文科技島，應已獲得全民共識，台灣不僅要積極消弭數位落差，更要拉近資訊致富、資訊落後者的差距。

數位落差已成為世界的困擾，我想所謂的典範就是消弭數位落差。我記得二十幾年前，當時台灣最引以為榮的，就是國民所得前後15％的人差距只有4.7倍。台灣若善用這項本領，縮小全球數位經濟的落差，我想，成為數位經濟的新典範指日可待。

問題與討論

以內需市場帶動創新

問： 以無線通信、軟體等產業發展，政府財團法人的角色應如何調整？

答： 在無線通信方面，據我所知，韓國三星集團已有兩千名研發人員，從五、六年前孤注一擲的投入，現在已成為世界的領先者。

所幸，第三代通信才剛開始萌芽，台灣如果有好的策略迎頭趕上也有優勢，因為當台灣要介入一個產業時定是百花齊放的模式。

政府曾想要比照工研院、資策會的模式，成立無線電財團法人，我個人持反對意見，因為時空已有所改變，這樣做太慢了。

我認為，如果政府有心，應直接輔導成立幾家旗艦公司，盡快在民間執行，還要以最快速度整合工研院、資策會、中科院、電信研究所的力量，再過一、兩年來做，恐怕為時已晚。

我也知道，國防政策中的國防役生力軍，在未來下一波科技發展會扮演重要角色，我覺得這對台灣研發力量生根很有幫助。

軟體方面，真正世界性的公司如微軟，都是一點一滴累積起來的。我覺得電腦公會建議的以內需市場帶動創新是個不錯的方法。如果企業投資一元、政府也投資一元配合，擴大市場，我相信軟體產業在這種環境之下可以發展起來。

問：台北市電腦公會所談到的五項行動方案，如何落實而不流於口號？

答：有三個面向：第一是所有同業要先形成共識，所以我希望由台北市電腦公會先發動，透過網路讓所有會員發表意見、彼此溝通，往下形成共識。

第二是透過媒體，希望社會有所討論、共識。

第三是政府，目前政府很積極，知道我們有這個會議主動邀我們去做報告，希望有關部會執行。

我有個更大的建議就是，知識經濟的發展策略範圍要廣，不只限於資訊產業，這還有待進一步發展。

移民政策搶人才

問：要達到電腦公會所訂定的願景與目標，人其實是最重要的關鍵，台灣國際化人才很少，如何讓國際人才願意來台灣，且有效留住？

答：首先是移民政策必須配合，所謂的移民不限於華裔人才，但是目前比較快的方式就是引進大陸人才。

在美國，大陸人才已經是台灣人才的數倍之多，台灣上一波的經濟發展是仰賴台灣留美的人才，下一波是否能靠大陸留美人才，只要法令同意，生活環境並不成問題。

第二，在短期方面，在大陸就近取才，納入我們的團隊，隨時可以短期來台灣一、兩個月，跟台灣的營運中心整合。

另外，我們透過創投公司掌握美國的人才，這些人才在美國為我們所用，包含非華裔人才如印度人、歐洲人、美國人等，這也是我們國際化的策略模式。

因為要讓台灣環境變好，外國人願意來台工作，這個挑戰很大，需要長期努力。台灣要像新加坡、香港一樣，在語言上就難突破，此外，進出台灣相對也比較麻

煩，還有待調整。

我一再點出，全世界都在搶人才，在顧及國家安全的原則下，政策應多做一些開放，例如外國人才來台工作，不應該限制每年出國一次，這不利於台灣吸引人才的形象。

人人都可享受新鮮科技

問：不少科技公司總裁不約而同強調人文關懷，如何在提升科技的同時又能消除數位落差？

答：這必須回歸到企業的基本理念。企業為何而存在？是為了賺錢，還是為了社會需要？資訊普及是不是一種社會需要？我很幸運，自己從事的產業就是為了要完成這個使命，讓科技普及，人人享受新鮮科技。

回溯宏碁過去二十四年的發展，是自己積極推動科技普及的使命，與政府無關，從引進微處理機技術，成立微處理機研習中心，訓練了三千個工程師。

1981年我們在二十一縣市體育館舉辦「小教授二號」巡迴展，全台灣為之轟動，萬人空巷的壯觀場景至今我依然難忘。1986年，我們到高雄市體育館展覽

一千台電腦，有十幾萬個學生到場體驗，這是多麼美好的經驗。

　　宏碁盡力讓資訊普及，最近又和文建會合作，舉辦「數位藝術紀」，利用電腦科技供國際藝術參展。

　　我始終相信，這些推廣活動應不限於宏碁一家，相關企業應該共襄盛舉，其次才是政府的推動。資策會辦的資訊週、資訊月，對於資訊普及扮演很重要角色，不過台灣整體資訊應用的水準仍有待加強。

　　從另一個角度來看，諸媒體的資訊版對於科技普及也有推波助瀾之效。當然，業界也責無旁貸，我講了十幾年的「豬八戒都會用的電腦」至今仍未出現，這是業界的責任，毋庸置疑。

　　電腦背後若沒有服務、軟體配合，很不容易使用，也是無用之物，這正是我強調從高科技到無科技再到高感性的主要理由。

創意來自環境、訓練、天賦

　　問：台灣要成為亞太知名品牌中心，就必須在內容上加強創意、美學，你認為這方面該如何加強？

答：創意到底是與生俱來的天賦還是可以經由訓練得出？我認為，環境最重要，訓練其次，天賦排第三。因此，能掌握創新環境的人是關鍵。創新環境有大有小，家庭也是一種創新環境。未來的知識產業首要就是創新。台灣要發展知名品牌，普及化產品市場最大的是在大陸，所以我希望最了解大陸市場的人是我們。

問：要建構綠色矽島的願景，在科技與環保之間，如何平衡？

答：就企業的發展而言，環境成本愈來愈貴、發展經濟不要破壞環保，這種理念一定要先存在於企業的思維。透過科技、知識經濟的發展，傳統經濟與環保二者不可得兼的想法慢慢獲得克服。

有能力的企業當然要對環保的投入更多，因為經濟發展的目的是為了改善生活品質，如果沒有好環境為什麼還要經濟？現在這個理念大家都認同，問題在於要拿出一套具體可行的方法。

樂於分享才會成功

　　1995年，比爾·蓋茲在《擁抱未來》(The Road Ahead) 一書中，提到他對於人類未來的想像 —— 先進普及的資訊設備，搭配資訊高速公路（網路）的連結，舉凡個人的食衣住行育樂，到企業營運等等，都將相互串聯，從此成為物聯網概念的濫殤。

掌握產業趨勢

　　三、四年後，美國麻省理工學院 Auto-ID 中心主任愛斯頓（Kevin Ashton）提出物聯網一詞，描繪透過網路基礎建設擷取資料、相互通訊的情境，讓實體物件與虛擬數據彼此連結。從此，這個詞彙廣為流傳。

　　不過，物聯網的概念，是把各種裝置蒐集到的資訊，上傳到雲端，供硬體廠商分析運用。但過程中將可能犧牲部分

使用者的隱私權，才能讓相關業者分析資料，進而提供更精準滿足消費者需求的產品與服務。

布局全球競爭力

智榮基金會與德國王道聯盟（Wangdao Alliance）基金會共同主辦「物聯網歐亞高峰論壇」（ExA Summit），邀請到宏碁、台積電、聯發科、中華電等大廠共襄盛舉，其餘像是廣達、和碩、友達、佳士達、東元集團、冠捷、工研院、資策會、國家實驗研究院、電腦公會等數十家企業及機構，也派員與會，與來自歐洲的代表交流。

在開幕演講中，我就提到，未來，台灣在物聯網時代，將會扮演重要角色，成為全球的動力引擎，因為全球的感測器，大部分來自台灣，多數穿戴裝置也來自台灣；更重要的是，最了解未來華人優質生活在物聯網領域相關應用的，也是台灣。

至於為何選擇與來自歐洲的德國王道聯盟基金會，攜手合作共同打造歐亞物聯網合作新平台「ExA Summit」，主要是因為相較於美國，歐洲地區也不認同美國文化中的贏者通吃，反而認同王道思維，願意邀請物聯網領域的所有利益相關者，一起共創價值，打造全新的物聯網王道產業生態（the

Wangdao IoT Ecosystem）。

物聯網其實還是西方霸道思維下的產物，整個生態體系著重各廠商單打獨鬥，缺乏合作精神；並且，在各項產品與服務的開發過程中，耗用相當多的資源，但最後可能只是幾家大廠擁有制定遊戲規則的權利，也就是產業標準、硬體規格等，都握在少數幾家企業手中。

以人為中心

耗用大量環境資源，卻只有少數人能夠獲利，這樣的模式並不王道。但畢竟這仍是目前大家較耳熟能詳的概念，所以，我在2015年號召的歐亞物聯網合作新平台，還是保留這個稱呼。

相較於物聯網，我在新宏碁誕生的時候，就依據王道思維，提出了智聯網的概念。

物聯網是以資料數據（things）為中心，那是沒有生命的物件；智聯網的重心則是「人」（beings），也就是裝置以人為中心。

我的想法是，要建立一個生態系統，產業界仍然是以各種智慧型裝置（硬體）為主，再搭配宏碁的雲開發平台（Acer Open Platform, AOP，軟體平台），以及自建雲（build your own cloud, BYOC，服務）為主。

一枝獨秀 vs. 百家爭鳴

如此一來，就是眾人加智，開發者與中間廠商一起打拚，都可以分到利潤；甚至，消費者也能因此享有更好的整合應用與服務，大家都是贏家。這樣，才能符合王道精神。

產業界的競爭，原本就是各憑本事，只是，王道的競爭模式以人為中心，在開放平台上，產業之間可以相互整合，屬於百家爭鳴，有大大小小的贏家，而不是一家獨大、定於一尊。

相對的，如果競爭模式是單打獨鬥，握有大量開發資源的廠商，很有可能一家獨霸所有商機。

從資訊時代到雲端時代，我認為，現在最重要的關鍵，是要建立自己的「雲」。自建雲是未來十年的願景，是關鍵中的關鍵，是我忙都忙不完的事情。

我一直都是利他主義者，我常說的一句話就是「利他是最好的利己！」我有核心能力，整合硬體、軟體與服務，所以我推出自建雲，但那是為了幫大家建立自己的「雲」，而不是宏碁建雲服務大家，這是創造價值利益平衡的王道思維，讓大家各有自建雲。

CHAPTER 2
創造價值占有率

創新，變得愈來愈重要，

也許有一天，

你以為只會胡思亂想的孩子，

正在為人類創造更高的價值……

第五章

競爭力新解

── 創新價值

想要永續、不斷提升競爭力，

在競爭力公式裡，最重要的是創新價值，

因為，顧客的價值是不斷轉移的，

他們喜新厭舊，對產品的價值隨著時間改變，

從管理與企業發展的角度來看，

創新是許多活動中投資報酬率最高的。

　　十年前，經濟部曾有一個「國家形象提升計畫」，要在國際上塑造台灣企業有價值的形象。最初是以自創品牌為主，後來我們發現創新價值（innovalue），亦即創新產生的價值，值得大家共同投入。

　　外國消費者買台灣產品，雖然沒有品牌，實際上卻非常有價值。台灣從過去靠勞力的製造代工變成設計製造代工，即使從設計角度看還是有部分的創新，而這些創新都是為了消費者的價值。

創新，為消費者提升價值

　　這些價值代表兩種意義：一是功能性的價值，如：方便使用；另一個是荷包的價值，也就是物超所值。這就是台灣的形象，但這個形象還是停留在生意層面，全世界做生意的人都知道，但是消費者不一定知道，因為連台灣在哪裡都毫無所悉，怎麼會知道台灣產品有創新價值？

　　另一方面，台灣生產的產品不掛台灣品牌，因此更不為人所知。不過，我們已經具備創新價值的能力，如果有機會，再加上長期努力，應該會得到很好的結果。

　　從創造價值形象的立場而言，我十年前提出科技島的想法，是希望在內部形成共同創造價值的共識，對外提升國家形象，此後我們的同業，不管是講科技島（High Tech Island）

或矽島（Silicon Island），無非都在表達一個訊息：台灣已經不一樣了，不要以為台灣只是勞力密集、加工的代名詞。

追求價值的創新

我可以用一個公式簡單的表達競爭力。1989年我在總統府演講時，就以這個公式做為主軸，說明台灣未來要如何提升競爭力。競爭力就是創造的價值愈高愈好，成本愈低愈好（見表5-1）。

我們在談成本的時候，常常指的是人工成本、材料成本，甚至於自然資源成本，如：水電、土地等等；事實上，到今天還是有很多人只看到這些東西。

至於創造價值，從消費者角度看，常常是指提供功能性

競爭力的意義

■評估創造價值：是不是目標客戶需要的？從客戶觀點看，它真正的價值是什麼？市場上是不是有其他更需要的價值？要付出多少代價才能創造這個價值？　　■評估投入成本：投入的成本是否值得？是否考慮到隱藏與間接成本？是否考慮有限資源的機會成本？　　■資源成本隨企業成功而提高，以管理、科技與經濟規模來降低成本。

的東西；但這其中還有很多服務、創新創造的形象、品質等因素，都牽涉到價值。

追求競爭力的盲點

然而，一般在評估競爭力公式時都會疏忽一點，就是只看現在，只看到看得見、直接的東西，如果把視野放大一些，也思考未來、無形的、間接的因素，那麼對於很多事務乃至公司的決策，這個簡單的公式就可以提供很好的參考。

我在給總統的萬言書裡提到，台灣不生產石油，卻要跟中東的產油國家競爭，先天的成本比較高沒辦法競爭，難道要因此去占領一個石油國家嗎？

這是不通的。客觀的條件完全不一樣，分析這個結果之

表5-1　施振榮的競爭力公式

$$競爭力 = F\left(\frac{價值}{成本}\right)$$

★ 價值：服務、創新、品質、形象
★ 成本：勞力、原料、自然資源
★ 整體考量：思考包括無形的、間接的、未來的東西

後，我們反倒應該追求價值而不是成本。

因此，我一直很反對老一輩企業家不斷強調台灣不好、勞工成本太高、不聽話等說法，這些道理根本說不過去。因為，今天勞工成本、環保成本提高，都是我們追求的目標。

經濟發展的目的，本來就是要改善生活品質，生活品質提高相對就會使某些成本提高。

過去十年美國經濟之所以領先日本許多，主要原因就是在創造價值的角色裡充分發揮。過去日本人透過自動化、量產來降低成本，這種方法並不能永續。

▍ 台灣競爭力的特質

過去，包括台灣在內的亞洲四小龍，都是用低價勞工、

評估創造價值的指標

■增加成本時，客戶認同的價值是否相對提高。
■降低成本時，能否保有原價值。　　■不提供客戶不重視的價值，是否能大幅降低成本。　　■價值增加時，成本是否未隨之水漲船高。　　■客戶期望價值的管理：物超所值的感覺、服務價值的塑造、品牌信賴的營造、施小惠或舉手之勞留下的好印象。

努力、勤勞的特質創造經濟繁榮。

　　現在，這些條件已不復存在，人工缺乏、台幣升值，但台灣有一個特色，就是速度快、有彈性，自己當老闆，決策很快。

　　再加上高教育水準的勞工多，連腦力也比外國便宜，這是台灣很重要的成本競爭力。

　　我曾再三強調，在世界性跨國企業裡，我這個CEO的薪水，恐怕是全世界最低的，但我做的還是世界級的事情。我的企業集團競爭力也比別人高很多，不用付那麼高的代價，就可以拚命做事情。

　　這就是台灣今天競爭力之所在，所以產業的分工整合、未來的需求都要符合台灣速度、彈性、腦力便宜的特質。因為速度就是金錢，彈性就是掌握機會，而腦力也是一種成本。

▊ 台灣競爭力無限

　　在如今這麼多產品裡，每天都有不同的競爭者出現，當然非要靠品質不可；但是消費者最先接觸的是創新，他覺得這個新東西符合需要也喜歡它，接下來才是服務、品質，有時跟產品製造的本質不太相干。

　　所以，積極創新是很重要的，因為過去著墨太少、努力不夠，經驗更差，信心也不足。

從這個角度看，台灣的競爭力是無限的。過去的競爭力都是靠降低成本，直到今天，個人電腦、半導體產業的競爭力都還是靠降低成本，但所借重的因素不同。

我們有降低成本的本領，不像美國在創造價值的同時也帶動成本提高，競爭力因而打折。如果我們能保持降低成本的看家本領，再致力於創造新價值，台灣的競爭力絕對無可限量。

在科技領域創新

談創新不應局限於科技創新，因為創新不限於科技。

現實的說，純從科技的角度，台灣要和別人競爭，連最基本的科學基礎比都不過。再加上，客觀市場環境上，開發尖端科技需要龐大資金及承擔很高的風險，美國有這個客觀條件，台灣沒有。

若要承擔這個風險，不要說能力不足，台灣也沒有這種客觀環境，就算做到世界最先端，商品化、市場化等過程也沒有辦法像美國那麼快就實現價值。

台灣固然要追求尖端科技的創新，但恐非當務之急。最關鍵的是，透過科技做很多對消費者、對市場有價值的創新，做得好不僅能夠降低成本，對人類的貢獻更大。

之所以這麼說的理由是，美國人走在前端，當他們要把

科技應用在全人類時，發現成本太高，如果我們能接棒，好好在科技應用領域做更多創新，就算科技是美國發明的，但貢獻人類生活品質提升、真正讓全人類享受的，就是台灣。台灣為什麼不在這個角度做定位呢？

創新無處不在，不管從經營模式、科技、產品、行銷、服務或是供應鏈來考量，都可以創新，關鍵就在於新不新，要逼著自己不「me too」。

早期在宏碁，如果設計出來的產品有似曾相識的感覺我就丟開不用。千萬不要一窩蜂，只要跟人家雷同的，都不是我們要做的東西，這樣的決心絕對必要。

透過經營模式創新創造價值

經營模式的創新有很多種，有的是透過送東西增加市場占有率，慢慢換取未來利潤；刮鬍刀、照相機都是用這種形式。也可以開創新的事業，因為出現新的經營模式，同樣的東西可能開拓出全新的事業；戴爾電腦和台積電就是兩個最成功的例子。

這兩家公司都創造出新的經營模式，創造顧客價值。戴爾打破傳統電腦銷售經過層層經銷才送到消費者手上的模式，改用直接送府的新模式；台積電為沒有經費、專業的公司做晶圓代工，讓這些公司可以專心設計IC，然後交給台積

電代工。

　　這樣的模式，時間快、成本低、風險也低，造成如揚智這樣的科技公司蓬勃發展，商品化時間縮短。他們主動創出這樣的經營模式，占到優勢。

　　也有很多公司是被逼著改變經營模式，因為用原來的方法幾乎是死路一條。

　　未來，這樣的例子會愈來愈多。

　　即使才剛進去不久的產業，可能五年、十年之間，原來蓬勃發展、有利可圖的生意，都無法使用舊法了。這時候，為了生存，不得不開創新經營模式。

　　我認為，戴爾推出兩種個人電腦新的銷售模式：一個是直銷，一個是訂貨裝配。直銷模式，對通路的最大影響，就是減少層層剝削；而訂貨裝配，也只有直銷模式才容易做到。

　　對電腦公司來說，零售市場的挑戰之一，是庫存問題；產品賣出時，看起來好像有獲利，但到結帳時，往往是虧本的，因為當時在美國市場，包含宏碁在內，幾乎所有電腦廠

經營模式創新的關鍵

■增加市場占有率以換取未來利潤。　　■創造全新事業。　　■創造新的成長空間：找出新顧客群、提供新商品（速度更快、成本更低、彈性更高）、新市場。　　■讓企業更有活力。

商，都會被通路商要求，因庫存沒賣出要折價及退貨，而宏碁的根基又不在美國，在當地零售市場便一路虧損。

我看到問題所在，去找英特爾商議，希望可以一起說服零售通路商，改變既有的商業模式。可惜，最後還是沒有成功，我就決定簡化，退出美國零售市場。

然而，在我決定退出後，零售通路商又找上門來，那時我就要求，提供給通路商的折扣，必須要有上限，而不是任由通路商予取予求。

透過科技與產品創新創造價值

台灣要繼續發展，科技創新很重要。要開創經營模式，台灣的市場太小，即使模式做好了，應用在大市場也不一定可行。在小市場領先，到了大市場，若大公司要霸王硬上弓，你一點辦法也沒有。經營模式比較是當地的，但科技是全球的，如果能做好就有無限機會。

宏碁在1986年，比IBM更早推出32位元的個人電腦。先不論創新的形象，我那時到菲律賓的亞洲管理學院，他們就印象深刻，說我替亞洲人爭一口氣，這就是形象問題。而且我們也接了很多訂單，有很高的利潤。

在科技創新裡面，英特爾的中央處理器就是很好的創新，英特爾利用IBM個人電腦的機會，奠定了X86成為產業

標準，並且透過不斷創新，提高其功能／成本比，開發不同應用軟體，競爭力提升，也建立了產品知名度。

不論是為了客戶的特殊需求、配合生活型態，或是讓產品更有智慧，都是產品的創新。

牛仔褲可以量身訂做，之後就有顧客的基本資料，隨時可以提供最合身的新式樣。

我有個朋友從澳洲回來，分享他在一家鞋店量一次尺寸以後，所有的資料都進入電腦，一輩子都不用自己去記鞋子穿幾號。如果這麼方便，你就會是這家鞋店的客戶。

至於生活型態的產品就更多了，除了蘋果電腦的iMAC，Swatch手錶也是成功的例子。瑞士鐘錶業被日本打到無路可逃，就出現Swatch這樣的生活型態產品，一個人可以擁有一大堆手錶，現在最熱門的行動電話也是符合生活型態的產品。

或是讓產品可以思考、有人工智慧，比如說索尼的電子狗、電子洋娃娃。Otis的電梯就比較複雜，它在電梯裡面放

科技創新的關鍵

■以更多應用建立經濟規模。　■標準的平台發揮影響力。　■表現成本提升競爭力。
■塑造形象，建立品牌知名度。　■不斷推出新產品，增加產品功能。

了很多感應器，一有狀況就透過電腦直接到總部，馬上派人來修。類似這樣的產品創新，還有很多的發揮空間。

透過行銷創新創造價值

當英特爾開始大張旗鼓宣傳「Intel Inside」找我加入時，我還感受不到它的威力。我不懂它為什麼要跟消費者直接溝通，因為這不僅要花錢，而且買它產品的也不是消費者，而是我。

後來，英特爾逼著供應商一起跟它做廣告，供應商打廣告它補貼部分費用，卻要求我們一定要出現「懂東懂東」Intel Inside的聲音，不管哪家公司做廣告，一定都要有這個聲音。

這實在吃不消，好像是在做英特爾的廣告，被借用得太厲害了。它還規定，所有平面廣告中它的標誌不能比你的小，而且要在顯著的位置。

很明顯的，它是集中所有客戶的廣告同時替它做廣告，利用這個創新行銷達到最大的利益。航空公司累計里程的行銷方法，也是想要建立顧客的忠誠度。

台灣企業最有待加強的就是創新行銷，我認為這個很難。台灣非常欠缺國際行銷的人才，到今天我都還沒有辦法解決這個問題。

1987年公司改成Acer時，年營業額大約四億美元（目前

是八十五億美元，2000 年將會到一百億），我當時人小志不小，找上奧美廣告，希望利用有限的預算替台灣訓練以台灣看世界的行銷人才。

那時所謂的行銷人才，指的還只是廣告創意人才，但是這個計畫沒有成功；後來，我還找世界最大的廣告公司合資成立公司，希望以有限的經費為台灣培養行銷人才，仍無功而返。真正最關鍵的，還是人才和經驗。

■ 透過服務及供應鏈創新創造價值

網際網路講究的是隨時隨地，銀行的發展也是如此，從分行的提款機到跨行提款，最後都將發展到網路化。

讓客戶安心，最有名的例子就是聯邦快遞公司（FedEx），顧客隨時可以查詢郵件現在在什麼地方。

透過網際網路尤其能夠了解客戶的取向，例如，會員制的行銷方式，哪個會員喜歡什麼你都會知道。比如說在網路書店買書，買習慣了之後，它就會推薦書給你，亞馬遜網路書店就是最好的例子。

產品創新的關鍵

■為顧客量身訂做的產品。　　■符合生活型態的產品。　　■會思考的產品。

　　沃爾瑪商場（Wal-Mart）是美國最有名的零售業者，分布最廣，在鄉村地區都有商場，號稱是美國最有影響力的零售大王。但是，宏碁和沃爾瑪合作好幾次都沒有成功，主要原因是它的供應鏈管理系統並不是在賣「新鮮的魚」。

　　我曾想，如果整合超級市場和零售的方法，可不可能出現一種新模式？現在電腦需要集中生產、又要最新鮮的，不能放在店裡讓它臭掉，應該讓它直接到消費者手上。

▋ 角色重新調整

　　戴爾電腦就解決了這個問題，不過到目前為止，它服務的對象還是那些會使用電腦的人，對於第一次用電腦的人而言就不是那麼方便。

　　宏碁的「渴望」電腦就吸引很多第一次使用電腦的人，因為它又簡單又漂亮，讓很多人渴望去買。

　　透過零售商銷售電腦，毛利低、服務高、庫存多、降價風險也高，當然不是好生意，所以我們和沃爾瑪的合作都沒辦法做起來。失敗的主要原因出在供應鏈的管理，雖然從某個角度看是最好的，對一般雜貨、衣服很管用，卻不適用電腦產品。

　　在網際網路時代，網際網路既是資訊系統的基礎架構，又是交易、資訊提供、服務提供，到最後如果還是有一個有

形的產品流通，很明顯的，供應鏈中每一個人的角色絕對要
重新調整。

無形成本的影響

要永續、不斷提升競爭力，在競爭力公式裡，最重要的
就是創新價值。

以「渴望」電腦為例，1996年在美國、台灣同時推出，
確實創造很好的價值，因為它創新，有很好的形象。但比起
台灣，它在美國的服務比較差，品質控制也比較不穩，所以
它在美國創造的價值就比較低。

如果從產品的材料成本而言，美國和台灣是一樣的，不
過和其他同樣性能的電腦相比，「渴望」電腦的顏色不一、
螢幕外殼不一，光碟機的面板也不一樣，所導致的成本增加
及彈性降低，就會增加無形的成本。

「渴望」電腦在美國創造了價值，卻提高了成本，所以
競爭力並沒有顯著提升；但是在台灣，它創造價值的同時成

> **行銷創新的關鍵**
>
> ■取得客戶同意的行銷方法，更能準確掌握目標客
> 戶的需求。　　■降低行銷成本。　　■增加顧客
> 忠誠度。

本的控制相對也低。結果，「渴望」電腦在亞洲的競爭力提
高很多，但是在美國沒有增加多少。

顧客的價值是不斷轉移的，因為顧客喜新厭舊，對產品
價值的認同會隨著時間改變。所以，你必須充分了解客戶的
想法。宏碁向來都強調「we hear you」，我們聆聽消費者的聲
音，希望了解他們的需求，這變成企業發展很關鍵的能力。
想創新，要注意不能放棄任何機會，因為創新有時比你想像
的更簡單，只是你不願意。

▊ 創新必須有所本

創新不只是異想天開，需要有價值、創意、執行力三項
要素的結合。你要知道很多事情，因為一創新之後，立刻就
要做競爭力公式的比較，要馬上評估創新產生的成本是多少。

以我的經驗而言，從管理與企業發展的角度來看，創新
是眾多活動中投資報酬率最高的，如果你養成創新的習慣，
慢慢就易如反掌。

創新也一定要符合消費者需求，創造客戶的價值，最後
的目標是，不僅少數人知道台灣在創新價值，全世界的消費
者也都知道，就像日本消費性電子產品的品質、美國科技的
創新，受世界大眾認同。我們當然希望消費者享受到物超所
值、實用，而且又很創新的產品。

問題與討論

　　問：要區分企業是創新、顧客導向，或具有核心競爭力，有哪些指標？

　　答：應該是用比較的方式。

　　自由經濟就是談競爭，它是跟競爭者比較、跟標竿企業比較，或跟過去的自己比較。

　　至於要用什麼量化指標比較，其實量化不見得最科學，因為有很多東西如顧客滿意度，比較難量化。

無形勝有形

　　標竿學院曾經請人來跟我們的幹部談，發現所有顧客的滿意度都是無形的形容，不是產品品質的問題，客戶都是在一剎那間，感覺產品好不好，不一定都是有形的問題。

　　我覺得最現實的指標就是憑感覺。你可以跟同業、跟以前做比較，不光是自己，還要找幾個人來大家感覺一下，一件件事情提出來比。

例如，核心競爭力是製造成本很低，那就要比比看：你是不是最低？低有什麼用？如果「低」沒有用，就沒有競爭力；如果成本低占成敗的分量很微小，也沒有用。

了解客戶才能創造價值

問：創新價值是由消費者來判斷，不同地區的消費者會有不同需求。企業應該如何接近消費者，了解他們的生活型態？

答：這也跟競爭力公式有關。

為了要創造價值，最好了解客戶，了解客戶需要成本。那要用什麼方法來了解？你也許可以憑經驗就想到，這樣的成本最低，如果真正抓到了就創造了價值，但也可能花了很多經費卻不得要領，例如，問卷的設計或目標客戶沒有弄對，還是沒有辦法得到答案。

做調查就好像做廣告，你要簡報，因為做調查的、做廣告的，跟做產品的專業的人可能有隔閡，如果沒有溝通理念而產生鴻溝，所產生的成本也會很高。

實際上，這就是經驗，經驗就是每一個人的成長。

組織的能力、學習的能力都要提升，組織能不能有這樣一種制度幫助大家成長。

比如說，我們跟日本的電腦公司做了很久之後，日本公司總算了解，品質還不成熟的產品，台灣就把它推到市場上。日本人是把品質弄到十全十美才推出，雖然控制了品質但錯過了時間，創造出來的價值大打折扣。

掌握消費者的核心價值

從宏碁的角度來看，隨著企業規模擴張，這些都會慢慢進入共識、了解：應該怎麼做比較有效，如何有效掌握客戶，做必要的目標設定。

例如，我們會問：「做電腦賣給誰？」賣給代工委託廠商很簡單，賣給學生那就完了，學生大都是DIY，大概不會來買你的；到歐美賣給大企業，他們就會問：「Who is Acer？」這一問之後又不行了。

如果你不問電腦賣給誰這個問題，好像誰都可以，但真正分析之後就有目標顧客群。確認目標顧客之後就方便了，只要去關心這群顧客在乎什麼。

宏碁有三種客戶，一是消費者，一是企業，另一個

是產業。他們要什麼？消費者要的是容易，企業要的是可靠，產業要的是夥伴關係。當然也許他要便宜、又要產品好，或是要速度快等等，那是另外一回事。

有了這個目標以後，就回歸到設計、製造、銷售的過程，以及售後服務等。

我們雖然有核心競爭力，但是消費者的核心價值在哪裡？將這兩者結合在一起，就是最好的方法。

企業領導人應該訓練自己，看一件事情要以最快的速度掌握核心。

打仗應該是十八般武藝樣樣都會，因為真打仗時來不及套招，所以腦筋裡想到最有效的、抓到重點的就趕快用出來，這是我們面對複雜環境必須具備的能力。

趨勢與功能的全球化

問：你認為全球化到底是什麼？如果從全球化及市場創新的角度來看「渴望」電腦，宏碁學到什麼經驗？

答：我們把全球化分為兩種。第一是一種趨勢，因為大企業多，競爭也全球化，不管資金、產品、技術、人，都在全球流動。

　　反過來說，當你是一個人或一個組織，面對全球化的大趨勢就必須有全球化的運作；這種運作，包含對市場、對科技的了解，你不能閉門造車，要全球化。另外，還要將理念落實到整個組織，於是開始有國際化的組織，國際化要到每個角落去。

　　例如，從台灣到香港去就是國際化，不過還沒有像全球化定義這麼廣。

　　如果說香港代表東南亞，那我一腳跨到香港，這一塊算國際化。然後我到歐洲設點、美洲設點，再到澳洲設點，慢慢就有全球化的雛型。真正要有更深入、更廣泛的全球化，會發現香港不能代表東南亞，就要往更深的地方經營。

　　第二是從功能的角度，比如說本來只是生產，後來要開始做行銷、研發，甚至財務管理等等。大部分的日本公司雖然有全球化，不過它的研究發展、財務管理還是日本化，運作沒有做到全球化。

創新是舉手之勞

　　我想為創新下一個定義。是不是不一樣的東西就

是創新？例如，我把美國做法引進台灣，就算和美國雷同，但是因為環境、市場不同，我改變了一點點，剛好命中市場需求，這樣算不算創新？

創新真的是舉手之勞，不要人家這樣做你就跟隨，或者別人這樣成功就依樣畫葫蘆，一定是不通的。

找到適合自己的創新

創新也可以分成各種等級，愈高級的創新風險愈高，但是報酬也愈大。

市場大的公司比較適合用高級的創新，但我不贊成台灣走美國跳躍式的創新，理由很簡單：市場太小，創新的代價太高；風險成本那麼高，價值卻有限。

我們追求的是，相對於這個客觀環境，我們是比較創新的，但是相對於全球，我們是中等等級的。

這也是為什麼我早期提老二主義，因為當時亞洲、台灣目光所及的都是做老三、老四，我們很積極要變成世界的老二。結果，有人就批評，怎麼不是做老大？

我們就是沒有條件做世界的老大，不能強出頭，只能等時機成熟再說。我們是老二中的老大（在台灣是老

大），然後再進步為部分老大。

重視「第一名」建立的基本能力

問：台灣電子資訊業有很多第一名的產品，像螢幕顯示器、掃描器等，但這些產品似乎都已走到盡頭，對這些產品你有什麼建議？

答：台灣的螢幕顯示器產品靠的是做電視機的基礎，但是台灣電視機、家電公司在國際上並沒有成功。

我們的起步不比韓國差，不過因為規模不大，像大同、聲寶、東元雖然都進入美國市場，卻鎩羽而歸，但這個產業造就了我們做螢幕顯示器的基礎。

所以，我們不要忽略第一名所建立的基本能力，不論從工業設計、技術或量產的角度，台灣實際上已經有些基本能力了，現在最大的問題是，就算有不少的量但還是不值錢，利潤每年遞減，以前可以養活五百多人，現在只能養活四百多人。

值得慶幸的是，現在做同樣的事也許不必用到四百人，如果有積極的方法，說不定三百五十個人，也可以做出同樣的東西。

為台灣訓練人才

如此一來,有經驗的人力應該做些什麼?

以宏碁的經驗,多年前我們提出專用電腦的概念,之前又有ASC(application specific computer),連續一路做下來。

我當時就說,應該要借重我們已經建立的競爭力,尋求新機會。後來發現行不通,專用電腦若只有硬體、沒有服務軟體配合的話,只是空談而已,所以宏碁積極投入X-service,希望善用過去公司或台灣產業所建立的基礎。

宏碁曾經在美國虧本兩億美元,我告訴同仁,做研究發展過程最重要,就算計畫失敗了,進棺材之前我都會伸出手再撈一點進去,因為我已經做這麼多努力,如果白白浪費絕對死不瞑目,一定要左撈右撈,至少替台灣訓練人才,不能說完全沒有意義。

同樣,宏碁在美國、在世界上建立了品牌的代價實在很高,還好最近有兩件事讓我快樂一點。

第一件,是兩、三年前宏碁就轉成做周邊產品,個人電腦品牌不值錢 —— 不是宏碁不值錢,而是AST這

個品牌，根本就是負的值，至於派克貝爾，更不值錢，你送我我都不要。德州儀器（TI）要退出筆記型電腦，送宏碁很多錢，宏碁還是沒有賺到錢。

在個人電腦產業，有品牌是要虧本的，除了戴爾以外，惠普、IBM的品牌都不值錢。

品牌在個人電腦雖然不值錢，但是轉做周邊產品時，因為周邊產業比宏碁有更強品牌的公司很少，所以我們賺了錢。

宏碁現在做創投也賺錢了，又用鄉村包圍城市的策略，主機不賺錢就做別的周邊產品。

此外，我們做創投，把過去虧的錢又從美國人身上賺回來。我以前常說，我對美國的貢獻很大，創造就業機會又虧那麼多錢，現在總算他們對我也有所貢獻。

總而言之，我們一定要在核心競爭力仍在、優勢消失之前先未雨綢繆，否則要付出的代價就會高出很多。

鎖定有限資源在具競爭力的地方

至於台灣逐漸沒落的周邊產品廠商，我認為很簡單，就是不要做、進行合併。

　　美國現在最有競爭力，理由很簡單，因為它把資源分配到更有附加價值的產業。

　　如果從國家競爭力來講，為什麼要消耗這麼多資源做沒有附加價值的產品呢？宏碁在十年前曾經開發通訊的數據機產品，後來轉給同業讓同業去賺錢，因為在宏碁做不好的話就會浪費資源。

　　今天台灣很多產業要保持世界第一，應該把有限的資源鎖定在有競爭力的地方。我特別要強調，資源非常有限，所以更要善用有限的人力資源，集中在有競爭力、有機會制勝之處。

　　問：電子商務正在萌芽階段，各地都在談 B to C，宏碁為什麼選在2000年3月跟全國電子聯盟？是不是不看好 B to C 的經營模式？

　　答：以 B to B 而言，在美國的成熟度、業務量都比 B to C 高很多，如果談 B to B，更要考慮到我們是全球的一環。台灣經濟的 B to B 已是國際化，政府有很多計畫積極推動。

　　我覺得，我們不只要經營國內上、中、下游的關係，更要經營全球上、中、下游。B to C 可以分成是賣有形還是無形的產品，以及需不需要售後服務。販賣有

形的產品或者消費者需要進一步服務時，還是需要有實體世界。宏碁與全國電子聯盟，就是希望把實體跟虛擬做有效整合。

虛擬夢幻組合

　　我也推出「虛擬夢幻組合」的觀念。所謂組合，是每個單位都有自己的角色，就好像打球，每個位置都有自己的角色。網際網路有一個角色，全國電子有一個角色，每個人都有他的角色。

　　現在是非常多元的時代，我不再只是賣一個商品、服務一件事情，為了達成某個目的，我們要分類，某一類或者某一件消費者跟供應商之間的關係，就應該用什麼樣的組合。

　　這個組合，包含供應鏈、銀行、貨運公司，到底什麼是關鍵的東西而且必須密切配合？就像打球也要密切配合，需要一個團隊。因此，宏碁集團介入了很多不同的任務編制，我們為了一個目的，很快組合成虛擬夢幻團隊，提供特定目的需要的核心競爭力。

　　經營事業要建立新核心競爭力並不容易，何況是全

新、沒人做過的事？你需要的新核心競爭力，別人可能已經妥善建立了，這時到底要自己創造，還是組成虛擬團隊來達到目的？

　　因此，我們希望與全國電子變成夢幻組合，但是我們能否引進過去經營管理的know-how，或是產品線、新產品的技術，幫助全國電子更有效的發展現有業務，這也是一個課題。

建立國際行銷能力

　　問：正如你剛才所提，台灣行銷人才非常少，這會不會成為台灣的危機？

　　答：台灣要發展長期競爭力，建立行銷的能力最困難，需要的時間也最長。台灣經濟發展是從製造開始，外商的製造帶動我們的管理能力。接下來國內訓練一批人才，又有一些海外人才回國，才慢慢建立一些能力，這是需要時間的。

　　我常說，台灣的製造能力是A，研發能力是B、B⁺，行銷能力應該是C或D。我們也向國外學習行銷經驗，但畢竟不是全球的，人才、廣告公司都是以台灣

為市場，相對比較簡單，不只範圍小，深度也不夠。我想，要在台灣建立國際行銷能力，可能要五十年。

我不是開玩笑，荷蘭人到台灣已經四百年，他們早就國際化了，而美國人到亞洲也有一、兩百年。台灣要累積經驗，不只要重質還要考慮量，因為要夠大的量才會出現好的客觀環境。

在這種情形之下，我認為我們不值得為短期煩惱而煩，只是若希望提高未來的競爭力一定還要再加強。這個過程如果把時間拉長，是負擔得起的投資，唯有具備國際行銷能力，台灣才能打世界級的仗。

切忌好高騖遠

做國際行銷，切忌好高騖遠。宏碁雖然很積極，但我們也視情況做必要的調整，但是絕不放棄，一步一步的往前走。

我們這場仗應該是有時間，也就是說，台灣高科技業的競爭力實際上有足夠的時間，因為在製造業之外還有很多可以加強。

先不要談全球，我們應該談亞洲；不要談整個亞

洲，把日、韓去掉，我們至少要領先。

宏碁現在是東南亞的第一名，《讀者文摘》對讀者做調查，宏碁還排在IBM、康柏電腦（Compaq）前面，這意謂著勢有可為。

反觀歐洲，有多少企業在其國內只占50％的營業額，在全歐是80％，也沒有走到亞洲。

所以，我們把重心放在亞洲，在美國我們也是國際品牌。因為在亞洲我們是公平競爭，美國人到亞洲來不僅是外國公司，還遠道而來，我們是就近取材；我到歐洲去是長征軍，機會就不是很大。

關於人才訓練，最重要的應該是，在企業還可以承擔風險時做一些有意義的事情、多一點企圖心。有企圖心，人生比較有價值。

不過，訓練一些人才往前推，國外經驗雖然可以參考，但是光有那些資訊也沒有用，要消化，讓它符合我們的客觀環境，變成能夠應用的東西。

創新需要時機與執行力

問：創新是不是代表可以獲利？好的新產品一定會

帶來利潤嗎？如何評估？

答：吾道一以貫之，還是要回到競爭力公式。創新並不代表能賺錢，也要有執行力，還要時機對。有些創新馬上就產生價值，有些則是成為肩膀讓別人站，有些創新或許沒有價值但刺激了創新的風氣，對社會也產生價值。

價值不能只用錢衡量，對社會產生影響也是一種價值。在科學上，有很多創新是做為基礎，供大家應用。

不管創新產品在市場的接受度怎樣，都有風險，創新的流程是不是如你所想的這麼順，也有待時間考驗。

但反過來說，如果不創新，還是抱住原來的模式，到底有沒有生機？答案是不創新就要死，只是活得苟且偷生而已，所以，如果創新也是死的話，那也死得痛快一點。

創新當然要步步為營，它最主要的是創造價值，如果工作同仁不習慣做不出來，就會增加成本、降低效益。我覺得還是要回到公式，自己評估重點在哪裡。

我們最大的挑戰是，能夠在千頭萬緒之中忽略其他因素，簡單挑出兩、三個因素評估然後做決策，萬一不順利，你至少知道疏忽了哪些因素。

從另一個角度來看，宏碁在管理上的創新創造了許多價值，這個價值是無中生有的，它開發了同仁的潛力。我們創造這樣的客觀環境，讓同仁充分發揮，所以管理創新絕對有創造價值。

軟體更新能創造價值

問：你曾說將來台灣的首富會是軟體業者，為什麼？還有多久才會實現？

答：能不能成為首富，關鍵在市場，只要市場夠大就有機會。

台灣的胃納有限，如果沒有國際市場，要成為首富有其困難。但是現在已經有很多電子新貴，美國前十大有錢人大概有七名是軟體業者。

在日本，所得稅繳得最高的是作家，也算軟體。

二十年以內，說不定十年以內，這個預言就可以實現，因為在市場大的地方，如：日本、美國，都已經發生了。

第六章

創新的
無障礙空間

要經營國際級的企業，
需要創新的環境，
而創造一個創新的無障礙空間，
領導者扮演了關鍵的角色，
深深的影響組織創新的能力。

要經營國際級的企業，需要創新的環境。環境當然要創造，而創新環境應該是領導者的工作，任何一個單位，無論是家庭、公司或組織，若要培育創新能力，領導者絕對扮演關鍵的角色。

台灣、新加坡與大陸雖然同是華人社會，但由於環境使然，行為也各有不同，甚至同樣一個人在不同組織裡，也會有不同的行為表現。

同樣，一個單位或組織的主導者主持會議的模式與說話風格，也都深深影響組織的創新。

影響創新環境，有外在與內在的因素。

外在因素包括：市場規模、產業客觀環境、資本市場、智慧財產權保護以及社會文化等。內在因素則是組織企業文化、組織架構與激勵制度，以及組織是否提供人力開發的環境、不斷讓人學習，這些都會影響到創新。當然，最重要的是領導者的風格。

市場規模為創新之母

市場是創新之母。早期的藝術都是為貴族、宮廷而創作，主要也是因為有市場，若沒有市場要如何進行創新？市場的定義很廣，欣賞是一種市場，社會肯定也是市場，所以，是市場逼使人要進行創新。

　　在自由經濟、資本主義體系中，市場是很重要的激勵模式，況且，在市場成功可以累積很多好處。美國是全球最大的市場，累積了全球的人與財在此尋求創新，可以達到最高的回收。

　　所以，我一直強調，大陸市場不比美國小，台灣應該好好利用，因為大的市場可以承擔各種創新失敗的風險，只要成功了就有很大回收，而且市場大，同樣的成功模式可以不斷重複。

　　台灣的軟體產業很不幸，就算做出成功軟體，因為市場太小賣不了幾套，但是在美國，就是台灣的一百倍，出入有如天壤之別。而且，一旦成功就要在同一個市場不斷重複，因為跨過另外一個市場，其需求可能不一樣，效益差很多。

　　台灣市場小，不易承擔風險，所以台灣的創投不會投資很新的創意，風險太大；反過來看，美國矽谷的創投就不會投資已成形的產業，這是很大的差別。相對而言，美國可能

市場規模為創新之母

■承擔風險大，但回收較大。　■在相同的市場，較易複製成功方式。　■激烈的競爭，是不斷創新的動力，並可永保領先。　■較能吸引全球人才。　■可以投入更多資源。

出現企業起伏巨變的狀況，成功的企業甚至三、五年後也銷聲匿跡。

　　台灣因為競爭小，企業一般開銷少，「氣」很長。氣長當然有好處，不過台灣有很多企業猶如植物人，耗了很多氣卻沒有意義。就整個社會資源考量，「植物企業」並不值得鼓勵。

　　另一方面，市場大當然也造就很多競爭，競爭是很關鍵的。為什麼美國很多運動項目的水準很高，如籃球、高爾夫球，理由很簡單，就是因為市場大，不斷競爭才產生這樣的結果。

　　全球最好的人才都聚集在美國，也可以容許更大的資源不斷做投資。我希望，大陸將來成為華人創新火車頭，也是著眼於龐大的市場。

■ 創新的產業基礎架構

　　產業的基礎架構、區域聚落與創新有絕對關係。產業如果非常競爭，就要不斷創新以增加競爭力。例如，日本過去在消費性電子產品非常競爭，在國內的競爭遠超過國外的競爭，於是出現不斷創新。

　　此外，聚落的形成，像科學園區或矽谷，也可使創新加速產生。聚落形成之後，配合產業分工整合的架構，可以讓

企業更集中全力在某一部分的工作，大家共同承擔風險。

　　如果有較大計畫的風險，有上、中、下游衛星業者適當的分工、運用與整合，萬一方向不對，大家彼此溝通，就能靈活調整計畫；就算有什麼損傷，也是大家一起分攤，將損失降到最低。如果有這種分散風險的觀念，創新就比較容易實現，創投其實就是這種分散風險的概念。

　　另外，如果產業結構不完整，就必須花較長時間才能形成最基本的臨界規模，因此很難承擔更多的嘗試，成功的機率較少。一個地區的產業結構完整，很容易形成臨界規模、經濟規模，有了這個規模，就可以一直滾雪球般發展下去。

　　例如，今天要開拓一個市場，在美國要用一百萬美元的計畫，才能到達到那個價值，但是在台灣，因為市場太小，根本不可能花一百萬美元。

　　基於台灣產業結構的特質，用五萬元就能達到跟美國並駕齊驅的成本與經濟規模，這個創新就值得去做，可以在國

影響創新的因素

■外在因素：市場規模、產業基礎架構、資本市場、智慧財產保護、社會文化。　　■內在因素：企業文化、組織架構及激勵制度、學習文化與人力資源開發、領導風格。

際市場尋求機會。

台灣絕大多數較強勢的產品，像開發筆記型電腦、個人電腦的相關產品、資訊家電，都有類似的性質，主要原因是工程師成本低、有產業聚落、速度快，再加上有綿密的衛星工廠，自然形成經濟規模。有效的經濟規模低，時效就快，風險也相對低。

▍資本市場對創新的影響

資本市場也是創新的重要推動力。有些創新的想法，在原來組織裡並未受重視，或很難推動；也有些人有好的創意，卻不想讓原來的公司知道，要拿來自己用（這我當然不鼓勵），這些創新的意念，就形成新的公司。

創投基金就是專門投資有風險的創意，所以在美國才稱之為風險基金。在美國，如果不是創新的公司創投就不會投資，但在台灣卻不太一樣，投資是鼓勵一窩蜂，因為一窩蜂的風險低。

創投的管理經驗可以重複利用，任何一家創投公司都管理幾十家企業，大的創投公司甚至管理幾百家企業。

在無中生有的過程裡，創投介入許多管理，在介入每個案子的過程中，它都可以提供適當的服務，所以成功機會較多。因為創投基金不只幫忙創業，創業成功以後，還要拿這

些錢再去幫助更多新創意，創投的基本理念就在於此。

股市熱絡推波助瀾

我始終認為，台灣高科技之所以有今天，1980年代後期台灣股市的發展扮演了重要的角色。因為資本市場對企業發展很重要，政府政策鼓勵企業上市，以宏碁為例，原本並不想上市，是在勸說之下才決定上市。

台灣資本市場蓬勃發展，投資者將資本注入高科技公司，使得高科技公司有資金來源，加上風險低，就勇於往前衝；這是經濟危機發生時台灣沒有垮掉的原因。

尤有甚者，資本市場跟高科技發展這兩件同時發生的事情，是台灣避免亞洲經濟危機的要素。一則因為高科技產業的競爭力高，附加價值也高；一則是資本市場蓬勃，使得台灣企業自有資金的比例較高，較不受金融風暴影響。

創新的產業基礎架構

■高度競爭會刺激創新。　　■區域聚落會加快創新的速度。　　■分工整合可讓創新更有焦點，並分散風險。　　■更容易形成臨界規模，使創新更容易。

　　東南亞國家，包含日本、韓國，企業自有資金比例多半偏低，台灣企業平均有50％～60％的自有資金，但韓國、日本、東南亞的企業，自有資金比例只占20％、30％，甚至只有十幾。

■ 社會文化對創新的影響

　　社會文化是不是保護無形的智慧財產權，也是產業創新與否的重要關鍵。因為創新的結果通常都屬於智慧財產權，社會是否認同這種價值？另外，社會環境是不是鼓勵創業精神，也是很重要的指標，如果大家都在創業，自然而然會引導出創新的環境。

　　創新有很多風險，需要集體的共識與溝通。做決策時有沒有溝通會影響到創新，這是社會文化層次的問題。

　　創新雖然是由一個人發軔，但是真正要推動時，由於不成熟隨時可能生變，因此很多決策都需要隨之調整。如果在這個過程中沒有透明化的模式，很難說服大家一起承擔風險。

　　早期我經營宏碁，與新進員工面試時都會談到風險。宏碁當時做微處理機，我對員工直言不諱，不知道公司能不能活下去，因為我走的是創新之路，一不小心可能「死」得很快。但我也鼓勵他們，就算公司垮了，所學的經驗一定很有用，因為這是未來需要的技術。

我如果不對員工講清楚，他們就不敢跟著我創新。

創新前先了解風險

對我來講，創新不是異想天開，創新是突破，要有許多知識做基礎。創新是已經掌握相當的經驗，之後才能尋求突破，追求創新。

反證於社會文化，如果主其事者對一件事情的控制力太強，也很難創新。這也是傳統家族企業，或由上而下一條鞭式的組織，比較難有創新的原因。

另外，教育的客觀環境也是左右創新的動力。我所謂的教育應該從寬解釋，我認為學校是最不重要的教育環境。在學校，充其量只是學習基礎，培養運用知識的習慣，就算是填鴨式的學校教育也不會抹煞創新，除非走出校園後，社會、家庭、組織全都限制了思考，不讓人有新的想法。所以

資本市場對創新的影響

■創投公司鼓勵更多創新。　■創投公司因為有投資風險，需要分散資金。　■創投基金與管理可培育新計畫，進而變為成功企業。　■公開上市（IPO）或合併購併（M&A）成為創新的激勵目標。　■利用資本市場衡量創新成果的回報。

我覺得，組織與客觀社會環境的教育更形重要。

此外，創新還得有個龍頭，就是政府的架構，但這很難，連國外也不見得做得很好。因為政府在本質上就比較不創新，政務官只要稍微創新就到處碰壁，很難施展。儘管如此，如果不經思考就否定某個創意，這樣的社會價值觀與環境都不利於創新。

企業文化對創新的影響

影響創新的內在因素，最關鍵的當然是企業文化。企業是否授權、讓員工獨立做決策、容許一些錯誤，在宏碁稱之為「為員工繳學費」。這種企業的民主是無所不在的，例如開會，大家能不能集思廣益就是很大的考驗。

很多人常把集思廣益掛在嘴上，但企業組織到底有沒有經過很多會議得出更精練的結論？這不但是創新，而且結論不一定是領導者原有的構想，是透過群體腦力激盪、開會而產生一種方式，讓創新計畫的推動更有效，真正達到集思廣益，這種真民主是很重要的。

在很多台灣企業裡，開會就是附和老闆想法而講話，講他想聽的話，這樣對嗎？就算支持老闆，還是要講真話。因為你所了解的跟老闆所了解的，會由於職位不同、所見所聞各異而有所不同，就要表達不同的想法。

　　老闆能不能接受這些不同的想法？這就是領導，領導人不要鼓勵一言堂式的鄉愿作風，對於能夠講出新見解的人也要不斷鼓勵他。

　　在宏碁，開會時沒有辦法想出獨到意見、看法而只是附和的人，在我眼中根本就不是可造之才。會議中有很多見解很有建設性，我們當然可以吸收，馬上做調整；其中也有不少破壞性的建議，我們也要不動氣，找機會做溝通、說明。

　　宏碁在2000年3月進行的「e-life show」，之前舉行的無數次會議中，只有少數幾次是由我與次集團的CEO參加，大部分都是我和層級較低的員工直接開會，我利用會議傳達宏碁的開會文化，讓會議不變成一言堂。

在紀律基礎上創新

　　這其中還牽涉到紀律與創新之間的衝突。有些人用紀律為藉口抹煞創新，領導者應該正視這個問題。創新還是要有

社會文化對創新的影響

■鼓勵及保護智慧財產權。　　■鼓勵創新精神。
■決策透明化、財務會計透明化。　　■所有權與控制。　　■教育。

知識基礎，要在一些基本原則之下進行，否則就流於天馬行空的漫談。我要強調，在紀律的基礎上創新是更有價值的。

組織中最基本的紀律，一定要寫得很清楚。以網際網路為例，網路協定就是紀律，如果不遵循這個紀律，就沒有人看得懂你的東西，這樣的創新沒有價值。

紀律是對組織與個人要有起碼的要求，上班時間八小時是基本的紀律，如何彈性上班就有創新的空間。在思索任何事情的時候，也不要違背個人最基本的原則。

以我來說，我覺得自己是最創新的人，但也有很多人認為我的臭規矩最多，在這些臭規矩之下，就算把我綁死了我還是可以創新。創新和紀律是沒有衝突的。

■ 組織與人力資源開發對創新的影響

組織人力開發是一大課題。

比起其他類型的組織型態，我認為網路型組織比較有效，因為它代表的不是官大學問大的組織架構。它是網路的，容易鼓勵創新，一件事情可以真正集思廣益，甚至有更廣泛的效果。透過網路型組織，大家同時對創新做貢獻。

虛擬團隊也可達創新之效。為確認這個創新想法可行，凡是與這個創新項目、目的有關的人，隨時可以組成一個虛擬團隊，大家異想天開，彼此激盪。不過，這個異想天開必

須根植於很了解的知識。

學習的組織,更重要的是領導者。這個「者」是多數,各部門的主管都是領導者,他們必須決定如何訓練這個組織,在創新完成後,還要讓參與者覺得與有榮焉。

▌ 宏碁的創見

在90年初期,宏碁進行第一次群龍計畫,訓練了一百個總經理;三年前又成立另一個群龍計畫,訓練兩百個總經理,由我負責九小時的課,談的全都是願景、理念、領導風格、企業文化這些我認為很重要的東西。

正因為有這些計畫,宏碁集團在台灣擁有最多的人才;更重要的是,在宏碁這樣開放的環境裡面,隨處都可以學習。開放的環境就是不留一手,員工看到的都是沒有經過包裝的東西。他看到公司醜陋的一面,將來就可以避免;看到好的東西,也可以直接學習,我們不會隱藏問題。

環顧台灣資訊產業界,從宏碁出來的人視野都比較廣、

企業文化對創新的影響

■授權、自立。　　■容忍失敗。　　■企業民主。　　■不鼓勵me too。

做事也比較實在，這跟組織的企業文化有關。

　　宏碁有一些創見。首先宏碁是處在台灣這樣的客觀環境，比起美國矽谷，台灣技術創新的空間比較有限，但是我們所做的管理創新，卻有過之而無不及。

　　技術的創新是全球性的，只要一個創新就可推用到全球，所以技術不但是「天下一大抄」，而且鼓勵抄襲。智慧財產權雖然有一些適當的保護，但是專利權有時間的限定，過了這段時間，就變成世界共同的財產，所以技術是屬於大家的。

▌管理創新

　　就台灣客觀環境而言，受限於環境、市場規模、投資等問題，要創造尖端的技術有其困難。我二十年來一直不放棄技術創新，也一定量力而為，但為了有效經營，利用有限的人力、資源做更好的發展，我認為透過管理創新的回收，可能更高。

　　管理在每個地方、每個企業，都有自己的創新模式，不是放諸四海皆準，沒辦法一體適用。管理無法全球化，因為每個個案與每個狀況都不一樣，其中就有無限的創新空間。

　　早期宏碁採取人財兩得的計畫，就是激勵創業後讓全員入股。這個方法目前已經為多數公司採行，在二十年前卻是

創新之舉，可見宏碁這個創新有絕對的價值，當然我們還要有新模式出現。

內部創業推動不易

至於公司內部的創業系統，美國在十幾年前開始流行，不過實施起來可能不是那麼容易。

因為組織原來的壓力就大、競爭也激烈，業務還要不斷往前推動，不容許分心。在這種情況之下，公司要抽出一批人在內部創業，而且都是很關鍵的人，對公司而言實在是兩難，不走是「死」，走也很累。

因為抽調菁英進行內部創業，組織的營運馬上產生損失；但不讓菁英在內部創業，他就離開到外部創業，公司遲早還是要面對問題。

宏碁第二個管理創新就是分散式管理，這在二十年前也是開風氣之先，我把分散式管理當成公司的特色，努力做

組織與人力資源開發對創新的影響

■網路型組織。　　■虛擬夢幻團隊。　　■學習型組織。　　■領導者的領導風格。　　■員工入股與激勵。

好。我深知，從事科技產業如果沒有創新精神就會出問題，因此我鼓勵每位員工盡量替公司做決策，當然公司也要努力為員工繳學費。

在本書開宗明義我就說，宏碁的創新是花了很多精力、很多錢，自己做白老鼠。我當然希望精益求精，在創新過程裡做得更好。我敢直言不諱的說，宏碁提出主從架構組織的管理創新模式，開啟了台灣、亞洲甚至是世界的風潮。

我們會發展出這種管理模式，當然和台灣的客觀環境有關，台灣因為市場不大，企業又有寧為雞首的特性，我們不得不發展主從架構；然而面對超分工整合的產業趨勢，我們又需要有一個有效的組織因應，所以宏碁現在開始發展iO聯網組織的架構。

在第三章已經談過，實際上，iO並沒有什麼特殊之處，它是主從架構組織的新版本。在全世界的企業中，宏碁集團可能比別人較早進入主從架構組織，所以當然要往前再創二十一世紀組織的主流──iO。

刺激創意思考

如何能夠比較有創意、刺激創意？創新是先從創意開始，我認為，反向思考是全方位思考之始。因為，和目前思考方向差距最大的，就是先轉一百八十度想。今天這樣做，

明天用相反做法試試看，可以不必做，先用想的，反正想也不用花錢。

先往一百八十度的方向想，看看有沒有解答，如果找不到再往中間修正，慢慢找答案，說不定就在四十五度找到。腦筋如果是正面思考，就只能在零度的範圍裡，不管差五度、十度調整，保證找不到答案。

假如能夠找到答案問題早就解決了，為什麼還拖那麼久呢？為什麼大家一窩蜂做同樣事情卻做不出個所以然來呢？因為那是死胡同，逆向思考往往會有不一樣的創意答案。

■ 逆向思考與腦力激盪

逆向思考之後，就要靠大家腦力激盪，這時需要有一個經驗豐富的人來主持討論。

通常，許多企業的會議主持人是擁有否決權的主管，

宏碁的創新

■管理創新多於科技創新。　■鼓勵及邀請員工入股。　■分散式管理，鼓勵創新。　■主從架構的創新。　■聯網組織。　■內部創業系統。

因此，既有主導權又有否決權的主席往往是抹煞腦力激盪的元兇，應該盡量避免這種情況。主席當然要面對經驗不足、隨便亂講的人，但這也是機會，讓自己了解員工為什麼這麼想，甚至可以和他進行溝通。

不過在溝通之前，主管要先確認員工是無的放矢或言之有物。與其是你說服他，說不定反過來是他說服你。如果能被別人說服，代表你又吸收新的東西。在經營企業時被別人說服是好事，說服別人是賣學問，賣學問不值錢，學學問比較值錢。

要有成果豐碩的腦力激盪必須具備一個前提，就是企業要民主，我指的是真民主。

真民主是企業非常重要的客觀環境，「號稱」民主太容易了。領導者要先解放自己，讓大家相信他可以解放、可以另類思考、可以否決自己，這樣才可能容許並鼓勵別人做同樣的事情。

當然，領導者也要守住基本原則，要有一些不變的基本理念、想法，而不是一味的否定自己。例如，領導者做事要以別人的利益為出發點，我指的做事是做生意，做生意要創造技術或產品，當然是以替別人思考為原則。我認為，所有為自己思考的腦力激盪，都行不通。

培育軟性文化才是關鍵

一如我先前所述，社會教育比學校教育，對創新的影響更大。

此外，北美龐大的市場是技術不斷創新的重要基礎。我絕對不同意只有兩百年歷史的國家一定比其他國家更創新，而且美國人也是從歐洲、世界各地而來，真正使其成為創新根據地的原因是市場與環境，而不是人的因素。

由此可見，大陸未來的龐大市場，很有機會讓台灣成為全球創新價值的領導者。這是我們的機會，我們應該有強烈、絕對的企圖心。

即使市場變大，也不代表我們所創新的東西就是賣給落後地區使用；當我們有不斷創新的機會慢慢養成這些能力時，所創造出來的東西就有機會領先世界，連美國也會樂於接受。

如何刺激創意思考

■創新始於創意思考。　　■反向思考是創意的起源。　　■由有經驗的會議主持人主持腦力激盪。■領導者容忍瘋狂的點子。　　■企業真正民主的文化，有益於創意。

▓ 亞洲價值的危機

我認為，創投與資本市場的發展，是台灣免於亞洲經濟危機的主要原因之一。亞洲經濟危機的來源之一，正是所謂的亞洲價值。

家族觀念是亞洲價值的始作俑者，企業界普遍認為公司就是「我的」，這種價值觀如果在不透明、缺乏紀律的環境，企業主就會把公司的錢跟自己的錢合而為一。

美國人有著截然不同的態度，他們今天創了業，即使明天賣掉，只要有錢賺也無所謂，反正公司不是「我的」。

亞洲價值觀意謂著聽命行事、服從，這對創新當然不利，所以如何創造一種無形的、軟性的、創新的文化，將是亞洲未來競爭力的關鍵。

我所謂的軟性（soft）是更廣的意思，就像e也不只是電子，它既是網路，也是數位、未來。軟性還包含無形的東西，像是價值、創新、品質等等，這些特質對亞洲而言都是求之若渴。

問題與討論

取得創新與時效的均衡

問：台灣有許多企業的發展步調非常快速，在時效的壓力下，往往無法落實創新。在創新與時效之間，究竟如何取得均衡？

答：我想，唯一的辦法就是在組織中做適度的調動，以交叉研發不同產品的方式，換取創新的時間。在追求創新的過程中一定有時間壓力，因為市場競爭激烈，新產品要趕快上市，為化解時效壓力，就必須從組織下手。

宏碁在追求創新的過程中，也常面臨時間不夠、人員不足的窘境，不過換個角度想，這是決策者要面對的挑戰，因為組織內好不容易擁有足夠的人才，業務擴大後人手又會不夠，問題、壓力就跟著來。

組織內的員工會受制於時間，以及被指派的任務所影響，組織指派的任務到底是以速度為先？還是要達到多少專利或業績？只要整個組織的方向確定，大家就可

以朝同一方向努力。

　　領導者要隨著時間改變，不斷調整重點，不能永遠一成不變。

網路型組織與非網路型組織

　　問：網路型組織與非網路型組織的區別在哪裡？

　　答：網路型組織和層層架構的組織是相對的，這就像電腦裡主機的結構與網路的結構是相對的。

　　在非網路組織，下位者對任何事都不能作主，凡事聽命於上位者；網路型組織則不然，下位者可自行處理的事情達七、八成，甚至是只要在法令規範內的事情都可以做，若有組織規定不准做、但對眾人有利的事，還是可以向上提議。

　　以宏碁的組織架構而言，子公司的事情是由各公司董事會作主，並非透過母公司，董事會還可以授權給總經理決定公司所有的事。如果真出了問題，母公司對子公司的影響是透過董事會，這就是網路型組織的型態。

　　網路型組織讓決策速度快很多，對市場的應變彈性也大很多，不過最大的問題就是大組織的力量難以發

揮，因為沒有強制力量聯合大家朝同一個方向做。

　　宏碁推行企業e化，很快就讓大家朝同一個方向前進。不過，如果是針對某個客戶或業務，要所有企業都全力配合就窒礙難行，因為每個公司的優先順序不一樣、發展重點也不同，很難走同一條路。

處理跨文化的衝突

　　問：跨國企業存在許多跨文化的衝突，宏碁對於管理跨國公司有哪些創新之處？

　　答：我認為創新應在紀律與知識的基礎下進行。企業在國外，首先要遵守法令的紀律，對文化也要有足夠的知識；知識不夠，就沒有足夠基礎進行創新，動都動不了。

　　一般人認為外國員工較難有效管理，主要是因為不夠了解他們。了解不夠，在堅持想法時就很難說服海外員工執行。

　　海外員工是受當地文化、社會的影響，有時就算是我苦口婆心的說服，吸引力也不如外界的刺激。他們常告訴我IBM怎麼做、惠普或戴爾電腦的動向又是什麼，

為什麼我們不能也這樣做？我告訴他們，宏碁如果用美國人的方法跟美國人競爭就輸定了，一定要有一套獨到的辦法。

他們或許勉強接受我的答覆，卻無法與我一起討論，因為客觀環境不同。有我在場說服，他們還會點點頭，但一回到工作崗位，由於抓不到主軸也問不到我，執行上就有困難。

宏碁現在的策略很簡單，在海外做的業務要盡量借重宏碁能發揮的強處，以達到集團最大的綜效，不要硬碰硬。每個地方不一定什麼都要做，因為要在短期內有效管理海外是很大的挑戰。

不過就長期而言，當我們慢慢掌握人才、能力，組織也夠大後，海外自然對我們有信心。換言之，如果組織沒有凝聚員工的策略方向，就很難累積力量。

以經驗分享的模式傳承智慧

問：創新要架構在知識基礎之下，那麼，宏碁的知識管理策略是什麼？

答：我們常聽到這樣的話：「同樣的錯誤為什麼重

複發生？是否有一套方法可以讓錯誤不重複發生？」每個公司都有經驗傳承的問題，千辛萬苦建立起來的流程、架構，往往在有經驗的人升遷、新人接手後，就會再犯相同的錯誤。

宏碁的經驗是，先建立彼此信賴、不留一手的內部文化，讓大家願意分享自己的經驗。不過，現在是資訊爆炸時代，知識根本講不完，所以宏碁已經朝資訊化的基礎架構思考經驗傳承問題。

過去知識有限，經驗可以用口傳，現在知識無所不在，口傳已不符所需，所以不能單靠文化，還要建立一個架構讓知識有效的傳遞與應用。目前宏碁內部是以經驗分享的模式，透過跨部門或跨企業的會議分享彼此的智慧，還沒有突破性的做法。

創新？改善？

問：一般認為管理的創新是改善，技術的突破才是創新，創新與改善該如何界定？

答：對於創新與改善，我的了解和傳統日本所謂改善的想法並無二致。

創新的目的之一當然是為了改善，而且日本強調的是永無止境、精益求精式的改善，不管是車子、DRAM、精密機械業，或是希望更省錢、更精美、更有效，都是在同樣思考邏輯下不斷進行改善。

美國就大異其趣。它的改善是跳躍式的，跳脫原有思考模式，產生不一樣的創新方法，效果可能更好、成本更低、時間更快，甚至是淘汰原有產品的價值，創造出新的局面。

許多人將技術與管理視為是企業的兩個軸，而我則是將兩者放在一起思考。

紀律是創新的基礎

問：社會教育對創新有什麼負面的影響因素？個人與企業能做些什麼？

答：在民主政治的環境下，另類思考相對比較多，慢慢也就形成創新的客觀環境。

很多人都覺得現在的年輕人不好教，但我不做如是觀。我覺得他們絕對比我們具備更多創新的條件，因為現代社會比以前開放。

不過現代社會雖然容許創新，紀律的培養卻付之闕如。紀律是創新的基礎，沒有紀律就談不上有價值的創新。至於我們可以做些什麼？如果大家認同我的觀點，可以在自己的企業或影響所及之處，兼顧紀律與創新，久而久之就不會偏差，美國就是這樣走出來的。

鼓勵創新的機制

　　問：如何鼓勵員工創新？宏碁提供哪些誘因？分紅、升遷是不是合適的方法？

　　答：為了鼓勵創新落實在智慧財產權，也就是專利，宏碁是國內最早成立專利法務部門的公司，而且人數也最多。早期這個部門的首要任務就是了解相關法令，以免侵犯智慧財產權，這就是我所謂的紀律。

　　宏碁在1983年、1984年時，曾因「小教授二號」與蘋果電腦有智財權糾紛，吃了很大的虧。我們特別在這方面下功夫，甚至引進美國團隊來台灣上課，教授智慧財產權到底是什麼。

　　為了有效創造更多的智慧財產權，我當時鼓勵員工，看別人的專利寫報告就給獎金；有創新的動機也給

獎金；寫出來、申請出去，給獎金；收到權利金後再分紅。這套鼓勵機制效果相當好，還連續兩年得到國家發明獎。

創造新型發明不只需要適當的制度，還要有教育的方法，知識對創新是很重要的。宏碁早期還有一種鼓勵創新的方法，就是法務部門找人專門幫工程師寫專利，但這些都是形式上的創新。

創新空間與環境密切相關

不過，最近大家都覺得煩了，認為個人電腦的發展已經到了瓶頸，沒有創意。受到個人電腦大環境的影響，宏碁電腦現在的創新想法少了很多，不過明碁（2002 年 5 月，明碁電腦改名為明基電通）卻有很大的揮灑空間，因為它不受限制，可以到處找新東西，因此，創新空間的大小和環境有密切關係。

宏碁還嘗試許多方面的創新，例如透過流程的創新與改善。這個難度較高，因為非技術性問題牽涉的是「人」，不像技術問題是針對「物」做改變。技術創新可以自己一個人發動，但管理是針對人，如果你不是主

管、沒有權責，要進行改變流程、改變思考的創新，就只能建議，別人也不一定會跟著動。

所以，管理創新需要有一個主管，職位愈高所能創新的範圍就愈大，組織的效力終究要靠這些人。

創新的評估

問：創新構想該如何提出，並建立一套流程？企業如何評估創新的價值與風險？

答：要創新的人一定要有信心、有知識，否則就不敢創新。因為後續還有許多挑戰，尤其當牽涉到人，下面的人若不服氣，把你的話當耳邊風，就很難推動。

所有的創新都是經過一個程序，不管失敗多少次，結果必須讓大家覺得，組織中有一個制度可以遵行。

創新到最後是落實在「做」，做出一個產品，這樣的創新過程當然會產生風險。

我鼓勵創新的理由，是因為有很大的市場價值，在這個前提下可多做創新。台灣企業的創新有限，就是因為不能承擔風險。

創新本身絕對有風險，不過如果有一套減少風險的

方法，不妨大膽嘗試。

比如說，逆向思考，先想而不做，花時間但不花錢，有一套制度讓創新的想法經過適當的評估，先有紀律再評估，既可降低風險也不抹煞機會。

問題是，一個想法提出後很多人往往先說「不行」，這就抹煞了創意。

創新要有目的與價值

原因很簡單，一般人會想「這個可行嗎？」、「如果真這樣做，茲事體大」、「很累」等等，他們沒有思考到另一個層次：如果這個創新可行，世界不只因此改善，還會因而改觀。

很多人沒有想到這個層次就退縮了，就好像病人只想到開刀很危險或很辛苦，卻沒想到開刀後情況可能會完全改觀。

只要有目的與價值，創新就可以接受。先有創新的目標，再思考可能面對的問題、如何解決，最後再評估創新的價值是否超過所投入的成本。

切記，思考時要加上未來的應用，創新過程的經驗

往往比創新的結果更有價值，而且經驗可以不斷重複。如果創新的成本是一塊錢，利潤是五毛錢，但是可重複一百次，利潤就是五十元，還是值得投入。

　　計算成本時，要將應用納入考量才會有創新的誘因，也才有承擔風險的意願。

可以不斷重複的流程

　　問：宏碁如何將創新或新發現轉化為商品規格，並確定它在某個時間上市？

　　答：台灣絕大部分的產品，在國際上幾乎都找得到類似產品，所以當有更新的想法、更低的成本，或是認為市場還夠大、願意進入時，就要開始思考，進入之後要做些什麼？

　　美國有些大公司，如：3M，在新產品上市前會先提計畫大綱，再成立評估委員會議決議做不做。我認為，這種制度在台灣的可行性很低。

　　台灣企業大多是在內部形成共識，或是出於老闆指示，或是員工提出、獲得老闆支持後，就想辦法完成。

　　在宏碁，開發新技術最重要的是商品化的過程與產

品設計的成熟度，所以我們會要求一定的流程，而且事先訂定目標，何時要達到目標、要經過哪些流程，然後視實際狀況演變做必要調整。

雖然可能因為品質沒有達到預期的規格，或規格不能達到預期目標等因素而延遲上市時間，但重要的是，我們具備了這個能力，公司就可以不斷重複流程。此外，有了開發的能力，還要兼備量產及銷售的能力。

在開發新產品時，同時要思考如何做出一套完整的流程，找配合的廠商，或採取可以執行完整應用的策略，而不是每項產品、每家公司都要有相同的做法。

逆向思考找理由

問：逆向思考有助產生創意，但人的思考模式是日積月累形成的，要如何扭轉既有的思考模式？

答：舉個例子，我不容易相信人，因為太授權，如果遇人不淑會吃大虧，這是正向思考。反過來想，我要做更多事，如果不授權、不請很多人來一起做的話，我能做多少事？

凡事都自己做會把自己累死，既然不想累死就要相

信人。要說服自己相信人就要找各種理由，說明為什麼非相信人不可。

相信人的風險真的很大，要承擔這個風險，就要盡量逆向思考找理由，讓它合理化。

類似這樣的思考邏輯都是在腦筋裡運作，不花錢的。不斷逆向思考後，選擇風險較低的想法先做，做出心得後再慢慢擴大。

逆向思考需要支持者，如果不能說服大家一起「死」，千萬別一頭栽進去。

王道心解

物競天擇亦是王道

　　許多人以為，王道精神只談讓利，不重視競爭，其實並不是這樣。

　　在競爭圖譜上，王道並不反對淘汰弱者的競爭，只是王道思維下的競爭，談的是利益相關者的平衡，涵蓋的範圍不僅只是個人或組織，更廣及整個社會與環境，而這正是王道精神的另一項核心內涵。

以全球為思考對象

　　在全球化時代，企業的資源包含人才與資金等等，都來自全球。既然如此，企業所創造的價值，勢必也要以整個地球村為對象。換言之，也就是「世界公民」的思維。

　　所以，企業應該思考，在運用社會資源後所創造的成果，不能只看見直接、有形、現在的效益，更要將間接、無

形、未來的影響，例如：環境保護、社會風氣，全部一併納入考量。

追求資源有效運用

資源是有限的，競爭是相對的，因此，王道思維著眼的，是在相互競爭的過程中，誰能夠以相對較少的資源，創造出更高的價值，誰能以有限的資源為社會創造出最大的價值，誰就能夠生存。

反之，在價值創造的過程中，如果無法有效利用資源，甚至浪費資源，就應該遭到淘汰。更明確的說法是，競爭也是社會進步的動力，可以讓對手自我提升，懂得更有效運用資源。

從這個角度看，在正常市場競爭的情況下，失敗的一方，往往反倒是因為他們的思維相對偏離王道，或是缺乏真正落實的執行。

相對來說，在競爭中獲勝的贏家，往往是因為找出了更有效率或更能創造價值的經營模式，為顧客創造更高的價值，成功贏得他們的青睞。

既然要在市場上競爭，就必須了解趨勢，知道現在與未來的客戶需求是什麼，才知道自己要創造什麼樣的價值。有

人買單，才不會浪費資源，才符合王道。

持續創造新價值

在王道的概念下，價值的產生是共同創造的結果，買賣行為就是一種共創價值的過程。

只是，許多人以為，只有賣東西才能賺錢，其實買到物超所值的東西，也可以說是賺到了，前提是在買賣這樣互相共創價值的過程中，必須取得利益平衡點。

以宏碁為例，雖然有人說台灣高科技產業的毛利太低，是「毛三到四」，但其實我們的淨值報酬率，並不一定比美國少，高科技公司的分紅更不比美國差。

即使真的利潤比較低，但這也是對人類的貢獻，因為如果東西太貴，買得起的人就變少了，相反來說，能夠做出物美價廉的產品，正是我們對科技普及的貢獻。

不過，依照王道的思維，如果原本生存的空間變小，就應該想辦法利用現有的核心能力，建構新的核心能力，甚至進一步創造新的價值。

近兩年來，個人電腦（PC）產業生態丕變，各種行動裝置與網路的發展，顛覆過去對於科技產品的想像與研發方向，雲端服務成為當前的重點。

找出新的勝利方程式

在這種情況下，勝利的方程式已經不一樣了，如何找出一條新的路，就是我們必須面對的新挑戰。

我的解決方式，是提出自建雲的概念。

未來的產業發展，是為雲端服務，所以我希望，幫助企業經營自建雲生態圈，讓商業用戶和一般消費者都能輕鬆建設自建雲，讓PC和行動裝置無縫接軌，公司也從硬體製造導向轉型，成為軟、硬體整合服務。

CHAPTER 3

另類全球化

企業由國際化進入全球化，
台灣必須有自己獨特的模式，
不能照抄日本或西方的模式，
也沒有所謂完美的全球化法則。
更不能忘記的是，
無論身處何地，都要有世界公民的心態，
才不會隨著國際化、全球化而變得更不受歡迎。

第七章

第四種模式

隨著功能不同，

企業全球化的做法也各有所異，

其中，日本、美國的經驗可以參考，卻不能模仿。

沒有完美的全球化法則，

台灣一定要有自己獨特的模式、經驗。

過去十年中，經濟領域最常聽到的名詞，就是全球化、自由化，口號喊得震天價響，但是全球化的內容到底是什麼，卻很少有人討論。

實際上，全球化有兩層意義：第一是到國外做生意，這是地理意義的國際化；第二是行動的意義，也就是無論做任何事情，都要有國際化水準。

全球化的重要性究竟何在？事實上，它關乎企業經營生命的延續。

經濟環境尚未自由化之前，在保護的環境下，企業就算經營得再差，只要不比人差，還有生存的空間；但自由化之後，任何國際企業都可以前來競爭，企業一定要做到國際水準，才具有競爭力。

▓ 企業的國際經營水準

是以，在自由化的全球趨勢中，企業是否具備國際經營水準，就變得非常關鍵。

正如我不斷強調的，企業服務需要當地化，就算開一家小雜貨店，在面臨國際最好的連鎖店威脅時，如果沒有國際化水準的經營方式，也會慘遭淘汰。台灣市場小，又要攻進全世界市場，企業無論是產品品質或經營模式，都要符合國際水準。

全球化需要一些做法，我們可以參考歐美、日本的方法，但更重要的，是發展屬於台灣自己的模式。

▊ 全球化的模式

企業由國際化進入全球化之後，會面對各種不同的狀況，以及應付不同市場、不同文化帶來的挑戰；更要緊的是，從製造、技術的角度來看，如果沒有考慮全球分工整合，組合出來的產品，若不是世界最好，就沒有辦法競爭。

在全球化的過程中，企業應該先在本土打下一些基礎，舉凡人才訓練、風險分攤，甚至市場回饋的速度，都要精準掌握。企業在本國市場，也應該發展核心競爭力，才能夠推及全球。

根據多年經驗，我認為，在企業在全球化的路程中，本

全球化的關鍵

■先在本土市場建立基礎，再邁向全球化。
■先發展核心競爭力，再分享到全球。　■要拓展全球市場，本地市場扮演關鍵角色。　■用全球視野進行分工整合。　■不同背景與文化，要用不同模式。　■美國模式以全球總部加上區域中心做為管理。

地市場扮演了關鍵角色。以美國為例，因為市場大，企業只要在美國市場建立規模，就可以發展出一套有效的全球管理系統，因為它已經事先在本國市場練過兵。

此外，企業內部在全球化的思考裡，也要有分工整合的概念，不是所有的專業都要放在企業總部。跨國企業目前最新的趨勢，就是多企業總部的觀念，例如行銷專業，也許在台灣、美國都設一個總部，自行運籌帷幄。全企業的功能，可以分散到全球各個角落。

宏碁目前就是這種做法，比如說，做視訊會議產品，總部就設於美國，因為美國這方面技術領先全球，最具核心競爭力。

隨著功能不同，企業全球化的做法也各有所異。美國的跨國企業，當然是以美國為世界中心，在各個區域則設有區域中心。區域總部是美國總部的延伸，美國總公司盡量讓區域中心有決策權，這是美國跨國企業多年來所發展的模式。

▋ 美國用複製實現全球化

美國有世界最大的市場，要建立全球化運作的核心競爭力 —— 規模、服務、人才、財務、形象、產品開發等，都可以先在本國市場進行操演，這是美國最大的競爭優勢。

全球分工整合，談起來也許容易，真要管理也需要時

間，美國企業在美國的形象，幾乎就等於全球的形象，全球化較其他國家來得容易。

美國企業只要在本地市場就可以建立很好的系統、流程，然後複製到全球各地，也可以吸收全世界最好的人才。

況且，光是美國本地市場，就已經達到經濟規模，美國企業不做國外市場，只是面子上掛不住、少賺一些錢，不會影響存續，海外市場就是額外多出來的營業量；反觀台灣企業，如果不做國際市場就沒得玩了。

不過，話說回來，台灣企業做的是製造代工、設計製造代工，有些連台灣的市場都可以放棄不做。

如同經營本國市場的歐洲模式

歐洲雖然有很多國家，但是歐洲企業可以將整個歐洲視為本地市場，更何況歐洲共同市場形成後，歐洲企業的全球化過程，也相對容易許多。歐元統一，使得歐洲企業在打歐洲市場時，都像在打國內市場。

我反覆重申本地市場對企業全球化的重要性，這同時也是我主張，兩岸關係良好對台灣發展非常有利的原因，因為大陸可以做為台灣的本地市場。

亞洲模式與歐洲模式大相逕庭，亞洲範圍廣、語言文化較多樣，無法形成共同的本地市場，不過，大中國圈是大有

可為。

▌ 日本的消耗體力策略

　　日本企業的全球化模式，就好比是老式的電腦系統，完全由中央控制，在美國的分公司檯面上看起來像是美國人主導，實際上，幕後還是由日本人掌控。

　　如果當企業經營擴充到全球時，所有事情都還要靠總部，將會問題叢生；正如電腦主機已經慢慢被主從架構、網路所淘汰。

　　索尼公司在馬來西亞的一位廠長十年前曾感嘆，如果重來一次，而索尼更加致力於當地化，有可能經營得比目前更好、更有效。他這種說法無疑指出，中央集權式的全球化模式，不若地方分權式來得靈活。

　　然而，日本市場有個好處。在日本，看得見的企業都是大集團，它什麼都做、打不死，因為就那幾家大企業在做，打輸了，還是能存在，不像美國，打輸了，就要被購併。

　　這造成日本企業在本國的競爭遠高於國外，因此其國際競爭力相當強，再加上企業規模大，可以用消耗體力的策略，打這場國際商戰。只是，日本企業這種體力消耗戰的思考策略，遇到個人電腦競賽，就無用武之地。

　　我常常舉例，其他產業的競賽，就好比業餘拳擊賽，

只打三個回合，日本公司一上來，就先消耗對方的體力，對手打到第三回合，沒有體力了，再趁機擊敗他。個人電腦產業則像職業賽，每年大約有兩到四個回合要打，每一代新產品，就是一個新回合的開始。

▪ 誰先把力用完

在這種情況下，你消耗體力打敗敵人，敵人可另闢戰場再戰，而且每個回合大約只有三分鐘，沒辦法消耗別人體力，反而將自己的體力消磨殆盡；等到第二回合開始，還是不得要領，因為敵人又用新的戰術。所以，日本搶市場占有率的方法，已經是落伍的思考模式。

另一方面，日本人在技術層面投入很深，也有其條件，但高科技行銷能力相對較弱。日本有很多產品，如DRAM，是用成本加成本為利潤的模式來思考，美國則強調市場價

全球化模式比較

■日本：大型主機電腦的架構。　■美國：分散式中型電腦的架構。　■歐洲：獨立運作電腦的架構。　■需要更有效的網路型架構：主從架構、iO聯網組織。

值。從顧客價值的角度來看，美國的思考模式當然比較有利。

　　不過，日本是世界第二大的市場，對很多國際化企業而言，國內市場還是最關鍵的要素，尤其是電腦。日本電腦公司對國內市場的依賴度，約在七至八成，所以就算國際行銷能力較弱，也不致有致命的影響。

▇ 不同模式的比較

　　《世界經理人文摘》曾經比喻各國國際企業的經營模式，日本模式就像大型電腦主機的架構（Mainframe Computing），美國模式像分散式的中型電腦（Distributed Mini-Computing），歐洲模式像各自獨立的電腦（Stand alone Computing）；而第四種就是宏碁的模式 —— 從「全球品牌、結合地緣」，演變到「主從架構」的組織，這也是一種網路型態的組織。

　　其實，社會組織的本質，就是一種網絡，最簡單的通信，也是一種網絡。網絡的好處是，無論一對一、一對多、多對一、多對多都很方便，速度、彈性也比較快，最困難的是管理系統，這也是宏碁做主從架構以及未來開拓iO時要面對的挑戰。

　　從表7-1可以看出，美國公司只要有50％的營業額在國外就算是具規模的國際公司，而歐洲有相當於80％的營業

額，是在廣義的本地市場，日本公司只有20％營業額在國外；反觀宏碁，含代理進口產品，只有10％的營業額分布在台灣，宏碁自己做的產品90％都是外銷。

由此可見，在台灣的公司處境堪憐，因為即使在台灣稱王，也不代表什麼，在台灣市場占有率百分之百，僅相當於世界占有率的10％。台灣企業唯有有效掌握中國大陸市場，自創品牌才有機會在世界取得一席之地。

■ 全球化模式的利弊

從表7-2的比較可得知，日本企業全球化的模式，內部管理方便，也比較容易開發全球性、標準化的產品，缺點是

表7-1　國際企業的國內外營業量分布比例

	國內	國外
• 美國公司 （IBM、奇異、惠普）	50%	50%
• 歐洲公司 （西門子）	50%	50% （30%在歐洲其他國家）
• 日本公司 （富士通）	80%	20%
• 宏碁	10%	90%

表7-2 不同全球化模式的利弊

	利	弊
日本	• 內部容易管理 • 較能有效開發全球性產品	• 不易配合當地需求 • 軟體及「量身訂製」產業挑戰較大
美國	• 有完善的原則及運作方法,容易擴散全球	• 海外部門沒有歸屬感
歐洲	• 因為強調自治,個別單位都很強	• 花費太高

不易配合當地需求,尤其是電腦系統的應用軟體。

　　日本企業在軟體產業的表現並不突出,風行全球的索尼、任天堂電玩,也只是遊戲,不需要教育訓練,所以才能稱霸;除此之外,就再也看不到日本公司在軟體產業有什麼突出的表現。

　　美國模式的好處,是市場夠大,管理原則較完善,可以積極擴充;區域中心雖然有自主權,但若與總部的原則不同,還是要以總部的意見為意見。但也正因為美國企業太強勢,海外部門沒有什麼歸屬感,反正一切唯總部是聽,不會有太大成就感。

　　歐洲的方式,在每個國家都做得不錯,但經濟規模不大,無法產生企業內分工整合的效果,造成花費過高。飛利

浦近來關掉許多工廠，原因正出於此。

　　相較之下，宏碁全球化的模式，對於全球分工整合的大趨勢、速度、彈性、成本控制，甚至對企業當地化、員工歸屬感都較有效。問題是，台灣並非世界重心，以至於我們最熟悉的營運模式，難以成為全球的策略。

　　此外，要實施主從架構、iO架構，有個很重要的關鍵，就是人力的量與質。我們需要很多同樣水準的人才與資訊管理能力，才能組成一個網絡，在我們要將主從架構推行到海外公司時就發現，海外的運作能力並不夠。

▌台灣企業全球化的挑戰

　　台灣企業要國際化有其困難，本地市場太小，沒有機會練兵，很難從本土市場建立或推廣全球化品牌；此外，國際

台灣企業全球化的挑戰

■國內市場經濟規模太小（不到全球市場的1％）。　■沒有機會練兵，也就難以發展最好的管理制度與方法。　■很難推動全球品牌。　■有全球化運作經驗的人才很少。　■無相近的重要市場可擴張（中國大陸是潛在的大市場，東南亞是較小的市場）。

化人才欠缺，也沒有類似的市場可往外擴充。

　　創立宏碁前，我在榮泰研製電算器，外銷做得非常好，但內銷的挑戰比外銷高，尤其是放帳有問題，常被倒帳。有了這個教訓，宏碁「小教授一號」內銷時，要求所有經銷商都要先抵押或用現金交易。

　　嚴格說來，台灣的外銷產業是做製造的產業，還沒有做到行銷領域。

　　宏碁目前的全球化運作，在營業額方面，1999年是八十五億美元，2000年預估將破一百億美元。現有人力（包括海外）三萬四千人，其中一半以上在海外，由此可見，宏碁國際化、全球化的程度，不輸給一般美國公司。

　　在營業分布方面，台灣占10％，歐洲地區25％，其他地區25％，美國40％。從整個市場的角度看，宏碁在東南亞名列第一，但在全亞洲地區的排名就吃鱉了，原因無他，就是本地市場過小。

　　日本企業在日本如果排名第一，就是亞洲第一；中國大陸的公司只要是大陸第一，也會超過我們；韓國三星只在韓國做，就比我們大。

　　這好比金牌拿再多也沒有用，就是少了一面大金牌。這實在令人不服氣，於是，我們專挑困難的工作做，因為本地市場太小。

　　宏碁最近從美國消費性個人電腦市場退出，所以營業量

減少，美國曾是宏碁最大的自有品牌市場，但也虧最多，現在已經輸給其他地區的規模。

宏碁有一項成績很值得自豪，我們在義大利筆記型電腦市場占有率是31％，這項成果得之不易。同樣的產品在不同國家有不同表現，關鍵就在於當地化，行銷、服務都必須當地化，而我們在義大利有一個非常強的當地團隊。

▌宏碁全球化的第一階段

宏碁的國際化之路，最早成立的是採購組，之後是業務，然後是研發、製造等。

公司於1976年成立時，還只有自國外採購，1981年在科學園區成立時，開始做外銷，做的就是自有品牌。當時全友電腦跟我們一起進入科學園區，也是做自有品牌。

1982年，我們在東京參加電子展，展覽「小教授一號」，德國雜誌報導「小教授」是Microtec的產品，因為名稱和Multitech 差不多；這雖然是一則笑話，卻讓我下定決

全球運作策略

■製造。　　■研發。　　■銷售市場。　　■合資經營（內部）。

心，一定要改品牌的名稱。

因為創新，「小教授一號」具有絕對競爭力，進軍世界一炮而紅，給我們很大的鼓舞。宏碁的個人電腦走在世界之先，就搭著順風車開始國際化。

這其中當然也遇到挫折，像新加坡的客戶就說，台灣不是生產電腦的國家，沒有興趣進口；歐美可以接受宏碁的產品，是習慣的問題，因為歐美只問產品、不問生產國，但亞洲國家則認為，電腦產品應該來自美國、日本。

企業經營上有個鐵律，可以不斷重複的，就是比較有效的做法。

宏碁的經營就遇到一個問題，每要擴張市場幾乎都得重來，在某個市場的成功經驗，不能如法炮製到另一個市場，做某項產品的經驗，也無法移植到另一項產品，這就造成某種程度的損耗。

我們在擴充的同時，要不斷建立新的核心競爭力；另一方面，因為愈來愈成功，就被市場拉著走，愈陷愈深，人力、物力也愈投愈多，要設很多分公司、配銷處，慢慢在當地做行銷。

■ 宏碁全球化的第二階段

1987年，我們更改品牌名稱與企業標誌；1991年宏碁遇

挫，進行再造。

1986年，推出「龍騰國際」計畫，造育很多人才；到1987年推出新標誌時，宏碁還豪氣干雲的喊出新口號「向世界第一挑戰」。那時規模很小，但人小志氣高；現在公司大了，似乎志氣反而小了。

1988年，宏碁股票上市後開始走下坡，不得不再造。

企業再造是項艱鉅的工程，往往要花費許多年時間，也未必得能收到成果。

90年代，IBM走下坡，接掌再造任務的執行長葛斯納（Louis V. Gerstner），花了五年以上時間才讓IBM漸有起色；迪吉多（Digital Equipment Corporation, DEC）走下坡後就回不來了。

90年初，康柏走下坡，後來進行一次大殺價行動，重新回到世界第一，這一、兩年又開始下滑，不知未來前景。電腦產品的競爭是非常激烈的。

宏碁在進行「龍騰國際」計畫時，曾經思考，企業規模

宏碁第一階段全球化

■1981～1990年。　　　■出口自有品牌產品。
■設分公司與配銷處。　　■當地銷售與行銷團隊。　　■1987年更改品牌名稱及企業識別標誌。

變大之後，每年成長將由20％調降為15％。

我以為，企業變大後，成長趨緩是很正常的，但有幾件事情讓我完全改觀；規模變大，如果競爭力夠，成長率一定跟著提高。

我看到康柏、戴爾全盛期的成長，以及宏碁再造之後的成長率在30％、50％以上，甚至到70％，再再顯示，成長率與企業大小關係不大，完全取決於競爭力高低。

我發覺，經營企業時，成長如果無法大幅超過產業的平均值，雖有成長也幾乎等於走下坡。

宏碁全球化的第三階段

在第二階段的國際化路程中，面對各種挑戰，宏碁提出很多新的概念，這就是《世界經理人文摘》所謂的第四種模式。初步奏效，但是1996年以後，又開始產生問題。

1997年之後，我又重新思考，要如何加強品牌，首先是做「全員品牌管理」（total brand management, TBM），把TBM當成「全員品質管理」（total quality management, TQM）一樣對待。

我們強調，品牌管理與品質管理一樣，是每個人的責任，企業內部由我發起，每個人都要介入TBM，因為如果沒有先有效管理品牌，就很難建立品牌價值。

其次，個人電腦降價的速度很快，汰舊換新迅速，如何進行全球運作，也必須整體考慮。

宏碁在做「全球品牌、結合地緣」、「主從式架構組織」時，都是各地公司各自為政，品牌也只有一個大原則讓大家參考，運作方式則由各地自行處理。

在1997年之後，我發現，這樣做雖然有好處，卻也有瓶頸，例如庫存很多，各地需要足夠的庫存管理人才，我必須從全球角度來思考這個問題。

況且，個人電腦的競爭，光靠產品還不夠，顧客服務、顧客導向、顧客關係管理（customer relationships management, CRM）等等，也很重要。於是，利用現有基礎，開始加強智慧財產、服務事業，這也成為一種新的模式。

再來，我就思考主從架構面對未來任務，如何進行新的調整，因此產生iO聯網組織。雖然這在管理上有很多問題，但它產生的效益，絕對比傳統疊床架屋式的組織有效許多。

宏碁第二階段全球化

■1991～1996年。　　■品牌管理全球化，經營管理當地化。　　■主從式組織架構（21 in 21）。
■速食店經營模式。

從RBU轉為GBU

　　1989年宏碁開始國際化時，就界定出策略事業單位
（SBU）、區域事業單位（RBU）兩種運作模式，SBU管研
發、製造，RBU管地區行銷，當時包括IBM、惠普科技等全
球跨國企業，都強調企業要當地化，所以採用RBU模式運
作。但是到後來，各大跨國公司紛紛放棄此種做法，改以全
球事業單位（GBU）取而代之。

　　宏碁的情況更險惡，因為宏碁的SBU、RBU可能是獨立
不同的公司。

　　美國企業的RBU與SBU是同一家公司、不同的利潤中
心，不同利潤中心在內部價格轉移時，彼此難免會爭績效；
遇到僵持不下的情況，則由大老闆出面仲裁，一句話就可以
解決。

　　但宏碁的SBU、RBU在爭價格時老闆不能講話，因為每
家公司的老闆都不一樣。我雖然可以作主，但是一作主就不
公平，我到底代表哪一方？

　　另外，宏碁每個區域都不夠大，無法整合成一個全球策
略，與歐美跨國公司競爭時，不免相形見絀。

　　比如說，宏碁在馬來西亞市場占有率第一，惠普若想打
下馬來西亞市場並不太困難。馬來西亞是惠普全球市場的一
環，反正它的營運是看全球總平均，因此惠普可以在全球策

略的布局下，用特殊資源、價格打馬來西亞市場。

　　宏碁不然，我們是每個地區、每個國家各自為政，都要自己想辦法創造利潤，很難出現全球的策略。

　　我還可以舉個例子，宏碁在拉丁美洲居於領先，不過，美國大型企業可以將他們賣不掉的貨「倒」到拉丁美洲，宏碁就沒有這種條件，各地區多出來的貨源得自行處理，這就無法形成全球的策略。

　　再加上，產業競爭使得情勢愈益複雜，如果在每個地區都不具競爭力，運作模式無法永續，SBU、RBU就沒有條件獨立。

　　此外，本來大家都是同一家公司，現在變成SBU、RBU，各有不同的想法、利益，要改變全球運作流程，協調的時間就曠日費時。

　　所以宏碁想出「21 in 21」（二十一世紀有二十一家上市公司）的概念，這個想法是在主從架構之下產生的。

宏碁第三階段全球化

■1997 ～ 2000 年。　　■全員品牌管理。
■全球化運籌管理、資訊化基礎架構。　　■顧客導向、顧客關係管理。　　■加強智慧財產與服務事業。　　■從主從式架構轉為iO聯網組織。

　　當時宏碁規劃的很多上市公司是海外的RBU，現在我們除了在台灣的公司，在海外的公司較難有機會上市；反過來，宏碁上市公司的家數並沒有減少，是因為我們採用GBU。

▌矩陣式管理

　　任何一個獨立運作的公司，其營業範圍是全球的，可以自己打行銷，也可以透過原來設立在外的單位做，要委託競爭者、第三者做也無所謂，由產品單位做全球策略的思考。現在很多跨國企業都採行此種模式，台灣的跨國企業都是當地的最高老闆親自做公關。

　　以惠普為例，在台灣地區的總經理，產品不歸他管，業務也不歸他管，他是在這裡「看家」的，對外的事情、對內的溝通協調由他出面，他不必管營運結果。惠普的每條產品線，都由每個產品總經理直接向美國報告，IBM現在用的也是這種模式。

　　從SBU、RBU要改變成GBU，會遇到很大的阻力，為此，我們還到國外跨國公司位在新加坡的區域總部考察，看他們的經驗，才知道做這樣的轉變並不容易。

　　GBU是以產品運作做區分的概念，要解決經常開支的問題，就要由區域運作中心（regional operation, RO）取

代RBU。所以,在台灣的跨國企業總經理,是國家運作中心（national operation, NO）的頭,而不是產品運作（product operation）的負責人。

如此一來,RO、NO下面各個產品團隊,和GBU整合在一起,這個模式就是「矩陣式管理」（matrix management）;下面的人,如果從生意的角度,要向GBU報告;如果從當地就近管理的角度,如:資訊管理、會計、財務等行政管理,則要向NO報告。

產品的競爭是端對端（end to end）的思考模式,以前的競爭只要把產品做好就算了,現在不是;產品競爭力、運作的有效性、行銷策略與市場區隔在哪裡,都會影響產品最後的成敗,因此,一定要透過GBU自己管理,負責成敗。

矩陣式管理,對中國人來說是最困難的,因為外國人比較有紀律,對誰負責、角色扮演都很有紀律,但是我們的角色扮演很亂。然而,矩陣式管理有兩個老闆,台灣的員工為

宏碁從RBU轉為GBU的原因

■內部價值轉移有爭議。　　■小區域的規模無法執行策略性行銷。　　■獨立的RBU沒有競爭力,也無法永續有效經營。　　■端對端的流程再造,決策過程較複雜。

了為自己開脫，很懂得在兩人之間製造衝突，讓他們不和。

■ 以世界公民自居

　　日本、美國的經驗可以參考，卻不能模仿。如果台灣學習他們的模式，只能變成二、三流甚至不入流的公司。台灣一定要有自己獨特的模式、經驗，這也是宏碁不斷積極嘗試開拓新模式的精神所在。

　　台灣在國際化的道路上，製造、研發問題都不大，行銷的挑戰最大，需要大量的國際化人才。但也不需因而頹喪，因為不是只有我們遇到挑戰，各國的企業，「家家有本難唸的經」，但是又不得不做，他們也在不斷調整、研究新方法。

　　我覺得最重要的是有世界公民的心態，因為在國際化的過程裡，到任何一個地方去，就是當地的企業公民，把自己定位為世界公民、以當地的利益來思考國際化運作的心態很重要，我不希望台灣在國際化之後，變得不受歡迎，甚至被認為是「醜陋的台灣人」。

問題與討論

問：在宏碁進行國際化的過程中，如何做到有系統培養人才？

答：宏碁在訓練人員時，要讓他具備國際化水準，對產品、技術都有一定程度的知識。我必須坦承，宏碁靠的是實際工作經驗，而不是很強的訓練。

要磨練出一位國際化人才，真的不容易。

1980年初期，宏碁選派人才到國際發展，大家覺得還不錯，因為難得有機會到國外，而且一待要兩年，那時我認為，國際化的差事應該要大家輪流。

國際化的挑戰

後來，發現事情沒有這麼簡單，因為這兩年當中，國內公司職位出缺變化很大，回來的人，不一定有適當的職位，我們因而流失很多人才。現在電腦業界的國際人才，很多都是宏碁當時流失的同仁。

有鑑於此，宏碁修改派駐海外的制度，以三年、

五年為一聘。但如此一來，員工子女又變成最大問題來源，員工子女在國外受教育，回台灣後銜接不上，我認為這將是台灣國際化的一大挑戰。

人才是國際化關鍵

在實戰經驗之外，宏碁也嘗試對員工施行國際化教育訓練。宏碁教育訓練中心曾經思考過不同的訓練課程，但是成效非常有限，唯一能做的，還是派人員到國外據點。宏碁目前在三十幾個國家有據點，但是有很多國家我們甚至發「苦難加給」，仍舊很難吸引人前往。

我認為要解決這個問題，還是要投資，一方面是業務需要，一方面就長期而言，企業一定要訓練人才。這些人才流到哪裡不重要，即使他們回來之後，改做其他工作，他們的經驗仍有助於有效運用台灣的資源。

由這個角度來審視，企業應該積極的長期投資人才，先暫不考慮是否有效。我期待不要只有少數公司在這方面投資，這是台灣未來國際化的關鍵。

另外，台灣的國際化策略，也要稍做分類。如果是製造，台灣這方面的國際化問題不大，企業到大陸、東

南亞、墨西哥，成效都相當好，因為我們在製造方面能有效掌握。

在這些國際化的製造運作中，宏碁借重了許多馬來西亞人。台灣員工都願意被派到美國等先進國家，但是到其他地方，離鄉背井，就不是那麼容易，所以要借重馬國國際化人才。

台灣企業要打自己品牌，到歐美去，還是得從長計議，應該優先把大陸、東南亞做好。

把企業經營好就是回饋地方

問：企業以全球公民自居，但是要做好全球公民，最重要的是回饋地方，宏碁有沒有較有效的做法？

答：我一直認為，把企業經營好就是回饋地方。不賺不當賺的錢，不壓榨勞工，提高當地水準，這就是回饋。比如說，台灣企業到大陸對當地作業人員做的教育訓練，使得他們的生活起居有新改變，對當地就產生很大的影響。

所謂回饋，並不是捐錢給當地，正如我認為，宏碁在台灣的回饋是好好經營宏碁，訓練好人才，做個世界

公民。把事情做好，就是最好的回饋。企業經營要以做世界公民為出發點，而不是以賺錢為先，如此才不會壓榨勞工、汙染地方、逃稅。

問：就台灣企業而言，有哪幾種國際化的方法？

答：就功能而言，國際化有製造、研發、行銷等面向，但是人才不能做這樣簡單的區分。例如財務人才，除了需了解台灣的金融環境之外，還要了解當地的銀行、金融關係；又如行政人才，對當地的法令、勞工、如何找人、訓練人，都要了解，這些經驗都要跨國作業，才能有深入認識。

在製造、研發方面，全球各地的差異並不大，但是行銷要國際化就得了解市場，每個地區都不一樣。

購併以達國際化的考量

問：台灣公司透過購併美國公司取得品牌、行銷等能力，進而達到國際化，有什麼地方值得注意？

答：在考慮購併之前，先要做兩種假設。

第一，要能得到被購併公司的品牌、現成的行銷管道與人才。

第二，若想打贏這場仗，技術產品一定要具有相當競爭力，可以支援產品國際化的運作。

兩種假設如果都成立，根據我的經驗，還會產生幾個問題。

第一，行銷單位的計畫，如何取得產品單位的共識，有共識力量就容易集中，兩個單位若各持己見，就會產生許多問題。再者，行銷業務單位對於業務量的估算都比較樂觀，在我們這個產業，一不小心過量就要變庫存，庫存的控制非常重要。

第二，好賣的產品缺貨，不好賣的堆積如山，如何促銷不好賣的產品也很重要，否則業務人員一直推銷好賣的產品，到最後還是會造成虧損。

第三，管銷費用可能過高，一般而言，美國公司都會先做好銷售計畫，然後照計畫行事，就算客觀環境改變他們也不會煞車，資源用在這樣的市場比較無效。

品牌管理的協調

問：在國際化過程中，如何讓企業主管與員工進行有效的溝通？

答：任何一件事情都有溝通的必要，前端、後端一定要有對話，這也是我們把大企業變成GBU的原因。Global有兩重意義，其一是地理上的國際化，其二是一件事情從頭到尾、全面性的做法。

GBU的責任是從頭到尾、成敗都要自行負責。做電腦的單位和做掃描器的單位，都是global的事業單位，兩者間的溝通非常有限，都要自己作主，所以網路的管理變得簡化許多。到最後，唯一需要協調的部分，就是品牌管理的問題。

採用GBU，糾紛最多的，就是全球品牌管理，這個單位的定位是這裡、那個單位的定位在那裡，價格會有衝突，這就需要進行品牌管理的協調；其他方面，如管理經驗的分享，不做也還活得下去。

要做國際企業，就要把每個事業當作完全獨立的單位，唯一會有瓜葛的，就是大家共用宏碁這個品牌所產生的問題。

台灣國際化的理想模式

問：台灣的本地市場太小，其他國家的國際化經驗

也只能參考，無法移植，你認為，台灣最理想的國際化模式是什麼？

　　答：各種國際化的模式，各有利弊，但因為客觀環境不一，美、日、歐等國的國際化模式並不適合台灣，我們不得不發展新的模式。

　　即使在宏碁集團的各個GBU，其國際化模式都不一定相同，但是，至少我們對於共同的課題，會發展基本的出發點，而這些就變成台灣企業國際化的原則。

看得到，買不到

　　所以我才說，要將品牌國際化，暫時不要以歐美模式為主，但一定要到歐美去製造形象。要讓歐美的專業雜誌介紹我們的產品，參加歐美產品競賽並且得到獎牌，但是不在歐美販賣，讓他們愛得要死卻買不到。

　　將產品賣到歐美，賣愈多虧愈多，因為產品賣出去之後就開始有責任，所以讓歐美買不到也無所謂。

　　你也可以做設計製造代工，或者和國外企業合作經營品牌，這並不是件容易的事。

　　1986年，為了打進美國市場，我就準備找美國、

日本當地有名的公司合作經營品牌。因為我發現日本公司也打不進美國，美國公司有好品牌，但是沒有技術、產品，也無法進入市場。我找他們合作，看是否有機會做雙品牌，我不賺錢都沒關係，只要賺到品牌形象就好了，錢讓當地的夥伴賺，我利用這個品牌可以打世界其他的市場。

　　但是到目前為止，在美國打電腦品牌的方法仍然無解，除非你的產品真的「不一樣」，這個「不一樣」要有價值的不一樣才大有可為；很不幸的，個人電腦就是個人電腦，變不出什麼花樣。

「義大利經驗」無法複製

　　問：宏碁在義大利有很強的團隊，為什麼這個模式無法在德、英等歐洲國家如法炮製？

　　答：宏碁早期在北歐做得很好，北歐國家小，我們交給當地的合作夥伴，他可以為我們打得很好，不過北歐再好，市場也有限。

　　後來，宏碁的據點設在德國，所以在德國我們也做得不錯，筆記型電腦排名第三；至於義大利，過去我們

一直做得很差，不得要領，我們改變原來的代理商，反而被他們告。

　　義大利市場能完全改觀，道理很簡單，因為我買下德州儀器時，德儀筆記型電腦的團隊，就是義大利的團隊，由於宏碁的產品比德儀強很多，所以他們愈來愈強，產品線也因為這個團隊的成效而一直擴張。

　　這個模式可以如法炮製，但只限於領導的人，下面的人卻無法移植，沒有很好的團隊就很難打仗。

建立全員共識

　　問：你鼓吹的國際化觀念，如TBM，如何讓宏碁全球的員工都知道？

　　答：宏碁早期在這方面做得不錯，公司內部刊物、溝通都宣揚宏碁的活動、想法，掌握得不錯。

　　隨著地緣的擴張，產生語言、時間的差異，再加上整個組織龐大，不可能上面一句話就能貫穿到下面，因為這其中不只是文字問題，還要透過行為，這是最大的挑戰。

　　因此，我們做TBM是從頭開始，品牌的願景、使

命、性格，都要從頭界定，然後透過很多工具做教育訓練。例如美國的思科公司，它的變化太快，執行長錢伯斯（John T. Chambers）若有什麼談話，全部運用視訊科技，在公司內部網路裡都可以看到，以後我們也會這麼做。

　　問題是，要理想傳達這種精神，語言是個關鍵，用英文就會打折扣，因為有太多新東西，連自己都還在醞釀之中，用中文都講不清楚了，遑論用英文表現。

第八章

宏碁突圍，
進軍國際

盱衡當前全球經濟發展的趨勢，
經營企業不但要視全球為市場，
也要把全球的競爭條件當作重要指標。
而全球化的最終目的無非是
有效利用全球分工整合與國際資源，
提升企業競爭力。

　　盱衡當前全球經濟發展的趨勢，經營企業不但要把全球視為市場，也要把全球的競爭條件當作重要指標，因此，全球化的考量與部署，對經營企業變得愈益重要。

　　簡而言之，這就是比較利益、比較競爭的條件。在比較的過程中，企業不應該只考慮短期成效，直接、間接、長期的因素，都要一併考量。

　　在國際化的過程中，最具爭議的說法就是所謂的「產業空洞化」。這個說法從日本開始，日本人發現，日本產業外移，最後國內會出現空洞化的現象。

　　不過，如果看美國國際化的方式，產業往海外移，在國內也是找外包的公司合作，愈往外移，競爭力反而愈強。

　　空洞化的說法到底能不能成立，言人人殊。企業國際化需要考量的因素很多，最終的目的，無非是有效利用全球分工整合與國際資源，提升企業競爭力。

■ 全球化的理由

　　企業進行全球化的原因，不外是本國成本過高、勞工缺乏，材料、自然資源要借重國外；此外，為了接近市場，突破保護主義，節省運籌的成本，全球化也是一條必走的道路。

　　總而言之，回到我之前提出的競爭力公式，全球化就是要擴張市場、降低成本。全球化最根本的出發點，就是要創

造價值、降低成本，其實這也是經濟學最基本的供需原則，製造是供、市場為需，企業全球化反映的，就是供需之間的關係。

慎選地點

企業前進海外發展，首要考慮的就是地點。

一般來說，選擇地點時，都只想到當地硬體方面的基礎建設。以目前各國的狀況審視，硬體基礎建設愈來愈容易解決，只要有計畫、肯花錢，幾年之內，交通、設施等建設就可以建立；但軟體的基礎建設，如：教育、政府政策、產業結構等，都需要十年、二十年甚至更長的時間才能完成。

所以，在全球化過程中，軟體基礎建設較硬體建設重要，而技術勞力及腦力資源，也是一種重要的軟體建設。

此外，這個地區是否提供獎勵措施，也值得納入考量。

全球化的理由

■勞力成本過高。　■勞力短缺。　■利用國外自然資源。　■接近市場。　■突破保護主義。　■節省運籌成本（藉全球化擴張市場，降低產品成本）。

獎勵措施有兩種：一是可留更多利潤做投資，或拿回母國；另外一種是建立運作所需要的協助，包含人力訓練等。同時，政治因素、工會運作方式、相關產業聚落等，都要加以考慮。

▎權衡當地文化與獎勵措施

我要特別提出歐洲的情況。歐洲大多是社會主義國家，最關心的是就業人數。此外，歐洲工會組織強，勞工成本也高，除非為了建立市場，歐洲並不是企業投資的好地方。

但歐洲國家為了吸引投資者，常常提供比亞洲國家更多的協助，例如，國內有些企業到歐洲設廠，受到極大的優惠待遇，幾乎不必花什麼錢就可以建廠，當地政府還會負責部分的人員訓練，看起來似乎沒有比這更優渥的待遇；其實，這是個陷阱。

因為台灣對市場掌握不多，前去歐洲的企業，多半以製造業為主，而當地政府是以提高就業人口來思考，所以，企業雇用多少人，政府就補助多少。問題是，如果要長期營運，雇用的人愈多，包袱就愈高，萬一業務發展不如預期，長期而言將弊端叢生。

台灣也有獎勵措施條例，不過採用的是獎學金式的做法，歐洲的獎勵方法則是補貼。

　　獎學金式的做法，成績好的企業才能得到獎勵；補貼則是不管企業經營得好不好，一律給予獎勵，雇用愈多人，虧了愈多錢，還是照樣獎勵，因為你為它解決了就業問題。

　　歐洲一律有獎的做法，養成一些企業靠補貼吃飯，這樣的制度不見得恰當。我始終認為，如果一切都從政治角度來思考，常常都不盡理想。

製造據點面面觀

　　選擇製造據點時，當然要多找一些地方。我要特別強調，低成本與土地便宜並不是關鍵，不值得太過重視。最重要的是，地點要便於運籌，工程師、員工品質好，以及附近要有相關零組件的產業聚落；另外，政府獎勵措施、政治因素也必須考慮。

　　我就以宏碁開始國際化的案例，來說明如何選擇一個好

選擇海外據點考量

■軟、硬體基礎建設，包括：交通、公共設施、教育、政府政策、產業基礎建設。　　■工程師與技術勞工。　　■獎勵措施，如：訓練、賦稅優惠、稅務信用、分公司。　　■政治穩定度。　　■工會運作方式。　　■產業聚落。

的製造據點。

1990年，宏碁開始準備前進海外做製造，在此之前，台灣中小企業早就因無法忍受勞工缺乏、成本太高，紛紛外移東南亞或大陸。而宏碁開始有外移想法時，只想到一個地點，就是馬來西亞的檳城。

我們沒有考慮太多地方，因為檳城已經經過歐美、日本電子工業培養了二十幾年，不但工程師素質好，工廠自動化所訓練的能力，甚至超過台灣。

另外，當地也慢慢形成一些供應商，檳城政府多半又以華人為主，稅務、獎勵都很優惠。

■ 讓同仁留下好印象

當時，我和內人一同前往檳城，剛開始印象非常好，待了幾天之後，慢慢看到一些較落後的地方。

知道這種情形後，如果宏碁的同仁要到檳城，我們就帶他們走參觀走廊，讓他們留下好印象，因為同仁都是攜家帶眷過去，得想辦法不讓他們看到比較髒亂的一面。

除此之外，檳城是個很不錯的地點。

宏碁進入檳城時，已是台灣產業外移風潮之末，我們當然知道，馬來西亞也逐漸浮現勞工缺乏的隱憂，但還是決定進去，因為我認為宏碁產品附加價值高，勞工缺乏的問題只

會發生在別家公司，不會是我們。

當地企業家是否敢投資

1995年，宏碁到菲律賓的蘇比克灣，我也在前往考察的先頭部隊之列。我和菲律賓有個因緣，我是當地「亞洲管理學院」的董事，每年幾乎都會到馬尼拉開會，與當地的大企業家都有接觸。

之前，我觀察這些企業家，覺得他們對菲律賓信心不足，後來羅慕斯上台，開始改善投資環境。

有一次，我到菲律賓，發現當地的企業家已經開始在本國投資，連他們都敢投資了，我當然也敢，於是就到蘇比克灣去看，基礎設施不錯、距台北也近，很快就做出決策。事後證明，蘇比克灣的確是投資的好地方。

這意謂著，無形的信心也是很重要的考量依據，選擇製

選擇製造據點的考量

■找到更多可供選擇的替代地點。　　■低勞力成本與低土地成本並非關鍵因素。　　■運籌、工程師品質、零組件能否外包是重要因素。　　■政府獎勵措施與政治因素也應納入考量。　　■有相關產業群聚是有利的選擇因素。

造地點不能只貪圖便宜。

宏碁到蘇州設廠的決策，我並未參與，但我了解之後，也支持這個決定，原因是宏碁不想跟太多台灣廠商擠在中國南部。此外，以未來內銷考量，上海能夠涵蓋全大陸市場。

但是宏碁在上海並未受到多大的重視，因為許多世界級大企業都到上海，人工貴、土地來源不易，所以決定前往蘇州設廠。

▋ 生活品質也要列入考慮

蘇州附近有電子工業的聚落，從零組件產業結構、運輸、人工水準考量，蘇州都是很好的據點，再加上生活品質好，才能吸引國內人才前往。

後來，宏碁又到廣東中山設點。不去東莞、深圳，是因為這兩個地方過度開發，到中山設廠的主要考量是便於外銷，可利用香港、澳門的空運。此外，中山是大陸有名的花園城市，生活品質很好。宏碁落腳的中山、蘇州，也都是跨國企業的所在地。

宏碁在墨西哥設廠，考量的原因就是接近市場，宏電採用雙子城的方法進行製造，一處是在美國德州的艾爾帕索（El Paso），一處在墨西哥的Juarez。

除此之外，在加州也有一對雙子城，Mexicali在墨西

哥，另一個在加州。雙子城的概念是，高級主管住在美國，上班地點則在墨西哥，雇請墨西哥員工作業。

科技研發特重人才與地點

研究發展主要考量的，當然是人才，也必須結合當地技術的重心，像半導體、IC設計都在矽谷，軟體在西雅圖也不錯。通信方面，以色列很強。宏碁在聖地牙哥有一個據點，因為當地無線電人才很強。

在研究發展方面，往優秀人才聚集的地方絕對不會錯。高科技公司到最後就是比人才，比工程師的腦力誰多、誰好，所以未來我們一定要想辦法加強大陸、印度兩地，主要考慮是成本、人才。當然，設廠地點是否有創新的文化、環境，也是參考的座標。

宏碁有幾項知名的重要產品，例如32位元的個人電腦，

選擇科技研發中心的考量

■可供應的人才。　■接近核心技術中心的地點（半導體：矽谷，軟體：矽谷、西雅圖，通信：矽谷、以色列，資訊：矽谷、波士頓，生物科技：舊金山、波士頓）。　■人才成本（中國大陸、印度）。　■區域的創新文化。

就是由台灣派一組團隊到矽谷研究開發出來的，比IBM還早推出。

「渴望」電腦也是在美國，根據市場需求研發的創新產品。這些產品的問世，都不是人的因素，而是地點的因素。

目前宏碁籌募兩億五千萬美元的創投基金，未來將有一半會投資到美國，因為美國是世界中心。

此外，宏碁也在上海成立軟體中心，當然，我最希望的還是，將來在台灣的渴望園區集合數千個工程師，不斷推出世界級的技術研發。

建立行銷運作

科技、製造都是全球化的運作考量，但是行銷的支援就要非常當地化，因此到了適當市場規模，不得不就近形成一個行銷據點。

擁有眾多行銷據點後，需要一個區域總部，這個區域總部何時建立？規模應該多大？應該具備完整或部分的功能？法人的地位是連絡處、分公司、子公司還是合資公司？這些都要想清楚。

我記得，宏碁第一次考慮在歐洲設立據點時，日本人已在德國杜塞多夫設點，台灣的大同公司也在那裡，我們就跟著他們走。跟著人家走有很多好處，除了地點已由別人精挑

細選之外，產業聚落也已經形成，有困難可以互相協助。

宏碁歐洲總部曾經搬到荷蘭，主要是基於語言的考量，因為在德國，語言、文化都發生了一些問題，台灣外派人員生活很不方便；至於選矽谷做為區域總部，就跟台灣沒兩樣，非常簡單；選擇邁阿密是為了中南美洲的市場，當地至少有一半人口會說西班牙文；在中東，我們選擇杜拜做總部，原因無他，在中東只有杜拜最國際化。

在選擇行銷據點時，從推廣業務到庫存、配銷、客服、技術支援，做簡單裝配、產品開發，甚至能否做為區域性配銷中心，都要面面俱到。有些行銷據點的財務運作、人力資源，都不與母公司直接掛鉤，這些面向都要考量。

人力資源是營運總部首要考量

選擇營運總部時，一定要考慮人才的因素，因為總部具

行銷有效運作的關鍵

■有適當市場規模後，需要有一個行銷中心支援運作。　　■國家／區域總部的地點。　　■建立的時機。　　■建立的規模，如：全功能或半功能、法律地位如何。

備許多功能，要做區域性的行銷廣告，就要考量這個地點有沒有能夠做區域性行銷的廣告公司。

從這個角度衡量，新加坡的條件要比台灣好，台灣的廣告公司有能力做大中國區域，但是新加坡的廣告公司更具備對英語系市場專業服務的水準。

要做總部，這個據點的人力資源是否有用，是最重要的因素。

政府獎勵措施方面，新加坡有個營運總部（Operational Headquarter, OHQ）的獎勵方案，特許五年、十年免稅，即使境外產生的業務也有獎勵措施，只要雇用一定比例的新加坡人，新加坡政府就給予獎勵。

對於企業外派人員而言，最重要的是當地的生活條件、環境；貨物、人員、資金進出是否方便，也很重要。以此觀之，台灣除了高科技人力資源、產業結構比香港、新加坡好之外，以目前的條件，除高科技產業外，台灣要做為區域總部是難上加難。

■ 善用國際資金

全球資金流動快速，企業的資金流動是以資本或負債方式，就會出現很大差異。

亞洲經濟危機發生，尤其是東南亞、韓國，都肇因於國

際化的擴充是靠負債，負債固然有成本低、賺的錢不必分銀行、可以自己作主的好處，但卻很不穩定，稍有風吹草動就會被抽銀根。

但是，如果引進國際資金，長期下來成為股東，對企業國際化形象與在當地形象都有所助益，因為國際知名投資者都願意來投資這家公司。

而且，這樣做成本也很低，因為不賺錢時銀行要抽銀根，可是若有國際資金投資，不賺錢只會被股東罵，錢還是留在公司，影響不了什麼。

以宏碁為例，1987年上市之前，我就引進國際投資者的資金，包含花旗、大通、住友、H&Q、中華開發（CDC）、保德信（Prudential）等公司，這在當時是一種開創性的做法，贏得信譽，社會大眾也看好宏碁的股票。

今天檢討起來，我唯一耿耿於懷的就是，除了中華開發、住友之外，其他投資者都是賺了錢就離開，這和我最初的認知不同，因為我要找的是長期投資者。

選擇營運總部的考量

■總部功能的人才供應。　　■政府的獎勵措施。
■外派人員的生活品質。　　■貨物、人員出入是
否方便。

當時我沒有經驗，不知道H&Q、花旗的錢是來自創投，創投的策略是見好就收，不是對宏碁沒有信心。

有了這個經驗，後來我在找投資者的時候就特別小心，要找到可以長期配合的人。

後來宏碁又引進兩種國外資金進入公司，一種是可轉換公司債（convertible bond），另外一種是海外信託憑證（GDR）。公司債雖然是負債但可轉換，到適當時間就能成為資本；GDR則一開始就是資本。

到現在，宏碁所做的可轉換公司債都變成了資本。這樣做對公司的好處是，同樣的錢進來，發行的股權比較少。

不過，這當中需要許多法律文件，在發行前兩、三個月，就要開始進行很多準備工作。

不同的遊戲規則

最近我有一件事情很高興，宏碁在海外發行可轉換公司債，公司已備妥所有資料，準備到海外城市做巡迴說明會，行前才獲知三億美元的公司債已經售罄，連說明會都不必辦了，但在做這些事情時，公司不能讓消息走漏。

這和台灣大相逕庭，台灣企業在這種時候一定要炒作很多利多消息，但在國外是禁止的。

兩年前，宏碁有個GDR創造一個新的模式。GDR本應

從外面募款，但是其中有一半由公司買下來，有點像庫藏股，然後變成員工的股票選擇權。

因為台灣沒有股票選擇權，所以我們透過這種方法來獎勵海外的經理幹部。國內員工是用股票分紅，海外員工就用GDR的股票選擇權獎勵，而且都是在合法的狀態下進行。

▌以特別股籌資

全球化運作所需的資金，不論是業務、製造，都需要當地的金融機構配合，但企業在當地融資不易，要拿到獨立的信用額度也不是那麼簡單，除非母公司做完全保證，或是轉移母公司的信用額度。

宏碁在馬來西亞有個特殊的案例，馬來西亞的中央銀行對於外銷產業有些優惠的外銷貸款，但馬來西亞為保障本國銀行，不准外商銀行做生意。宏碁覺得不需要在馬來西亞放

運用國際資金的考量

■股本增資，最好有助本地聲望與國際形象、資金成本低、不干預管理。　　■借貸，成本較低，淨值報酬率較高，卻隱藏風險，如業績不佳時，將造成危機。

那麼多資金，就委請花旗銀行設計一種特別股。

特別股雖是借錢，也算是一個股本，股本愈多，就可以跟馬國的中央銀行借愈多錢。因為是可贖回的特別股，也像是貸款，讓花旗這家外商銀行做到生意。做這些事情，都是在法令架構下想到新的模式。

海外上市容易下市難

在此我要提出宏碁在當地上市的經驗，供大家參考。1992年～1993年之際，宏碁提出「21 in 21」計畫，就是在二十一世紀要有二十一家上市公司，當時是認為在很多國家都可以上市，不過後來發現，海外上市雖然容易，運作卻不理想。

在海外上市雖有助於提升公司形象，但是對本益比就是不利，造成員工心理不平衡。員工同樣做得很辛苦、成效也相當，在不同地方卻有不同的待遇，就造成不平衡。再加上海外對利益衝突規定嚴格，上市公司做決策時利益相關者都要避嫌，在管理上出現許多瑕疵，所以我們決定下市。

在海外，上市容易下市難；在新加坡，政府為了保護投資者利益，下市至少要花六個月以上，這還不包括先期作業，以及得到股東大會同意、法院認可等等。

「21 in 21」計畫在台灣很成功，在新加坡就不甚理想。

1996年，我本來要推動到美國上市的計畫，但因為業務不是很好，就改成GBU的型態。現在以台灣為據點的GBU大概都會快速上市，實現二十一家上市公司的計畫指日可待。

▋ 宏碁全球化製造運作的經驗

宏碁全球化製造經驗，到目前都非常成功。我們最初是有個團隊進駐當地，到現在，馬來西亞只剩下三、五個人，其他都是當地人，把技術、經驗都轉移給當地的管理者。實際上，我們也已經借重馬來西亞的工程師，建立墨西哥、蘇州等地的作業。

但我們要借重蘇比克灣人才時問題就出現了，因為菲律賓人要到美國去並不容易，尤其是女性，擔心人才派去美國後就不願回菲律賓；除此之外，菲律賓人才都能達到預期標準，不論品質、效益、成本都具競爭力。

宏碁全球化製造運作的經驗

■成立一組團隊，建構製造原則。　■將技術、經驗移轉給當地人員。　■借重國際經理人建立嶄新的全球化運作。　■輕易、迅速達到運作與產品標準。　■所有據點都很成功。

台灣有世界級的製造、供應條件，由於過去十年來企業有效的進行全球化運作，也掌握到不少客戶。在這個過程裡，明碁的案例值得一提。

明碁派外的人才，三、五年後回到台灣，因為在海外歷練過，反而有機會在台灣擔當大任。

這和以前的狀況不同，以前我們派到歐洲的行銷人員由於沒有建功，回到台灣就沒有什麼位置可安插；但是製造方面的外派人才都有很好的發展，目前達碁、達方、達信的總經理，都是從馬來西亞回來的外派人員。

▌以鄉村包圍城市

在國際行銷方面，到先進國家做很累，在開發中國家相對比較簡單，主要原因在於，先進國家最大的挑戰是克服客戶服務的問題，很難吸引一流的人才，這還牽涉到誰聽誰的問題。

自認優秀的民族，是否應該聽台灣的意見，這就產生總部與各區域總部信心不足的缺憾。這個問題不只發生在個人電腦產業，也發生在其他電子產業。

我也了解這個問題，所以才發展出「鄉村包圍城市」的策略。宏碁的個人電腦、系統都很成功的占領鄉村，1995年之後，我們認為應該是進攻城市的時機，也就是前進美國市

場，最後還是無功而返。

我覺得，原因在於資源、能力都不夠，而且我們是遠征軍，情勢對我們不利。

不過，我將要進行第二波鄉村包圍城市的模式，第二波不是地理上的鄉村、城市，而是產品線的鄉村、城市。

在這樣的概念下，個人電腦是城市，周邊產品、零組件是鄉村，宏碁的城市產品（個人電腦）攻不下美國、日本的地理大城市，我就換鄉村的產品來攻城市。

現在，我們在美國，利用個人電腦建立初步的品牌，賣電腦周邊，做得相當成功。

這種新的鄉村包圍城市的模式，也推廣到日本、韓國。

韓國雖然不是大城市，但是其民族性根本不容許外商進入，所以很難做；日本對品質、售後服務、經銷商的要求很高，在進入日本時我就有八年抗戰的準備，不過經過八年還是失敗。

宏碁國際行銷的經驗

■在未開發國家較容易，在已開發國家較困難，如：客戶服務、聘用當地第一流人才、公司與總部互信、庫存管理。　■零組件、周邊產品比系統產品容易做。

現在這兩年，我用鄉村包圍城市的方法在日本賣零組件，已經成功賺錢。

■ 經營企業不必硬碰硬

以鄉村包圍城市，難怪毛澤東贏了，這是很有效的模式。但是大企業最後一定要占領城市，占領城市才可以有發言權。

不過，城市的產品攻城市，是件吃力不討好的工作。

攻城市需要很大的資源，做很多廣告、售後服務，還要有很大的經銷網，這些都很難管理；但是，做鄉村產品，像零組件、周邊，廣告只是搭城市產品既有品牌的便車，競爭者也沒那麼多，很容易就攻下市場。

否則，等於是用一百倍的力量攻城市，不但攻不下來，還虧本；而現在，只要用二十的力量、以鄉村產品，就能把城市攻下來了。其實，經營企業沒有必要硬碰硬，應該從長計議。

另一方面，目前靠個人電腦賺錢的公司，只剩下寥寥幾家，而宏碁在個人電腦建立的品牌與國際網絡還是可以繼續使用，這是無形的資產，無論是創投、網際網路我都會借重這個品牌，具備更強的力量。

製造代工打不過設計製造代工

美國有創新的環境，宏碁的「渴望」電腦就是在美國研發出來的。美國雖然很創新，商品化的過程則需要和亞洲國家進行分工整合。商品化的過程很複雜，要有很好的程序、經驗。

為什麼製造代工打不過設計製造代工？前者，是美國設計好，交給台灣代工；後者，則是台灣設計好，掛上美國公司的品牌。如果美國只是做設計，生產還是放在亞洲，這種製造代工到最後就會輸給設計製造代工。

因為商品化不只有製造，是端對端的控制，從設計、選擇材料、如何控制品質與成本，這些都不是由製造決定，而是在設計時就已經決定好了。美國公司設計時並不知道製造的環境，不熟悉材料的供應商環境，成本就會變高。

相較之下，製造代工比較片段，設計製造代工比較完

企業進軍海外的必要認知

■製造據點很難搬遷，卻容易管理。　　■在西方國家要有效管理，是個大挑戰。　　■軟、硬體基礎建設較勞力成本重要。　　■欠缺有經驗的人才，是國際行銷的主要瓶頸。

整，但是設計製造代工仍比不上從頭管到尾的自有品牌事業。

事實上，台灣如果沒有設計製造代工的能力，早就被馬來西亞超過了。正是因為我們有這樣的能力，馬來西亞、大陸才能為我們所用。

在研發方面，研發據點很難與總部整合意見，到後來我們就說，對不起，老闆是台灣，就要聽台灣總部的。SBU的主管要做商品化，商品化包括計畫、資源分配、優先順序，所以不能讓美國的據點單獨做。

培養人才最關鍵

決定製造據點不像決定銷售據點那樣容易，尤其要把製造人力千里迢迢移到海外，總是要有適當規模。據點選定之後，管理就比較容易，因為流程、紀律、管理和台灣並無二致，而且在台灣不好要求的，到海外反而可以盯緊一點，所以海外據點比台灣做得更好。

台灣在製造方面的技術能力有世界級水準，要擴張出去當然容易、說服力也強。但是台灣行銷的能力只有三流，如果到海外雇用一流的人才，管不了他；請三流的人才，當然會打輸。

在西方國家，要有效管理，不只是語言問題，還有文化、思維習慣的問題，都不容易做好。

選擇地點，勞工不是關鍵，產業結構比勞工成本還來得重要。

　　台灣國際化最艱困的一環是行銷人才不夠，我們應該更積極投資。培養行銷人才比培養製造人才需要花更多的錢、時間更長、風險也大。

　　我之前曾經提過，美國最頂尖的商學院、國際企業管理排名第一的雷鳥商學院，在1946年成立，背景就是美國企業要國際化，發現國內人才不夠才設立這個商學院。可見，訓練人才還是一切的關鍵。

善用當地人才且需有效管理

問：宏碁在上海成立軟體研發中心，事前如何評估？事後又如何分析？

答：利用大陸的軟體工程師，是長遠的規劃。宏碁在國際上打仗，比勞力並不怕，比腦力台灣絕對不夠，所以就想到在大陸訓練人才。

剛開始，能考慮的地點只有北京與上海，我們認為軟體工程師也要有市場頭腦，所以選擇了接近市場核心的上海。

在初期，我們找軟體工程師是為了國際市場思考，但如果從長期來看，我們會愈來愈需要了解業務發展與當地市場需求的工程師，上海也符合這樣的需求。

此外，上海有許多大學，人才相對也多。從成立到現在將近兩年，我們覺得很不錯，希望建立基礎後將來到很多地點擴張。

就外移的台灣廠商而言，資金不是問題，最大的

問題是有效的管理。到底是要派一大批人去當地管理，還是要培養當地長期有默契的管理人才，這些都需要深思。此外，是否直接與當地軟體公司合作，最大的憂慮還是智慧財產權的觀念，這需要很長的時間才能建立、落實。

宏碁也有一套軟體策略，迥異於傳統製造業，我們有相當的部分是透過創投。過去幾年，宏碁除了將投資重心放在原有的製造之外，也延伸到開發智慧財產及發展服務（尤其是網路服務）事業，這是既定策略。

開發智慧財產不在人多，而在能力強，因此我們透過創投在早期介入，介入的金額都占所投資公司的15%到20%，而不是只有3%。

宏碁是透過真正介入，開發很多智慧財產，將來的軟體事業都會用這種模式。此外，因為軟體以人為主，我們同意讓員工占有50%以上的股權。

為社會培育人才又何妨

問：有關智慧財產，公司有什麼方法可以防範員工在學會經驗後跳槽？

答：如果純粹從經驗、技術的累積，人本來就是自由的，他可以自由選擇去任何一家公司，這是基本人權。我們只有用國際慣例，透過雇用合約，在公司產生的智慧財產權是屬於公司的財產；至於這個過程，個人所累積的想法、經驗，如果不在智慧財產權法令規定之下，就是屬於他個人的資產，這沒有什麼好顧忌的。

其實，你培養的人若能為別人所用、對社會還有貢獻，也應該有成就感。

不斷創造舞台

問：企業國際化之後，要如何思考外派人員回國後的升遷機會？

答：關鍵在於母公司的舞台要擴大。如果沒有舞台，從管理角度來看，他若選擇離職最好考慮讓他離職。人多事少，大家碰在一起只會互相傾軋，不會有什麼好發展。

宏碁集團最大的特色，就是不斷創造舞台，例如，馬來西亞外派人員回國，就有四個當上總經理及財務長；達碁今年營業額新台幣兩百五十億元，總經理是以

前馬來西亞的總經理；宏碁集團的財務長也是從馬來西亞回來的。

我到世界各國去，有時會搭長榮航空的飛機，長榮航空各個據點的駐地主管都是海運出身。企業如果不能繼續發展，只有一塊地，這麼多人擠在一起，根本不可能合作，唯一的辦法就是開拓舞台。

讓小碁源源不絕

問：宏碁有多少家上市公司？哪些經營得比較成功？利益如何迴避？

答：宏碁在國內目前有六家上市公司，在國外有兩家，新加坡的已經下市，墨西哥那家已擁有89％的股權，等買齊剩下的2％股份後就要下市。

在宏碁發展的過程中，宏科本來是整個集團的母公司，後來變成宏電的子公司；明碁原來是達碁的母公司，但是達碁今年的資本額應該會超過明碁。

這無所謂好壞，就像家族的每一代都是獨立的個體，最後發展都是自己的，每家公司都是永續經營，也都有發展潛力，而且不斷要生小碁，無法用短期成績衡

量成敗。

解決集團公司之間的利益衝突也很簡單，因為所有公司利益衝突的母公司之董事席都少於半數，公司所有事情都由董事會做決策。

董事會採多數決，宏碁有關係的代表以少半為原則，做決策時若有明顯的利益衝突，相關者就應避嫌，不參與意見，如此就可避免關係企業間的利益衝突。

這，是我十幾年以來一直要塑造、建立的模式。

不打輸不起的仗

問：選擇海外據點時，如何評估當地的投資風險？

答：我在二十年前就一再重申，不打輸不起的仗。

先不談國際化，就算在國內的投資、擴張，也都有風險。考慮投資風險時，要以就算失敗也不能拖垮公司為原則。我個人投資也做如是觀，在投入宏碁時我心裡也想過，萬一垮掉，我還是輸得起。

當宏碁開始投資海外，如馬來西亞時，國內已經有足夠的據點，萬一失敗也只是擴張延緩，即使有所損失也不會影響大局。當我把螢幕顯示器製造全部移出台灣

時，馬來西亞、大陸也都有據點了。

　　如果有一天我要把所有的製造都外移，一定會考慮在台灣的企業活動質量、重量都要比海外大，因為我的重心在此，萬一一去不回，也不會有影響。就像美國把製造移到亞洲，從此一去不回，但還是「死」不了。

　　這也就是為什麼宏碁進入大陸的時間比別人晚，在馬來西亞、菲律賓已經建立很好的據點後，才放心到大陸去投資，也就比較不擔心政治風險。

　　在研發技術方面，研發是一點一滴的累積，如果有些人才離職了，但是根還留在公司，很多的軟體、專利、文件都留下來，可以讓下面的人承接，這才是公司的核心競爭力。經營企業必備的技術競爭力，一定要掌握在自己的手裡。

不刻意，更得意

　　問：跨國企業要如何滲透當地的政商網絡？

　　答：宏碁在台灣的政商關係很正常，到國外去也是如此，都是以我們的投資規模與對當地的貢獻，自然建立起關係。

　　我們一向直來直往，到世界哪裡都受到很大歡迎；當然，到先進國家就不一定，因為我們的分量、對當地的貢獻相對不是那麼大。

　　不過，我們到德州投資，競選西元2000年美國總統寶座的小布希，就前來參加開幕儀式，墨西哥總統也曾參觀我們的廠。

　　我們是以世界公民、當地利益，來思考所有的投資，並未刻意經營政商關係，這樣做才可長可久。

先在家裡練兵

　　問：台灣的行銷能力是三流的水準，宏碁如何在這樣的條件下做到亞洲第一？

　　答：宏碁的行銷能力，在亞洲不能算三流，因為一流的美國人到亞洲來也打了折扣。美國企業對亞洲不了解，也許可以找到頂尖的主管，但整批團隊要在亞洲打行銷，打不過我們。

　　宏碁的硬體當然要追求世界第一，這是我們最終的目標。當我談到宏碁的服務要占有亞洲市場時，最終的目標也是亞洲第一。

　　當然，做個人電腦很累，在日本、韓國、大陸都做不到第一，這些地方以外，宏碁早就是亞洲第一。宏碁將來如果在大陸名列前茅、甚至得到第一，變成亞洲第一的機會自然存在。

　　這樣的準備、企圖心一定要有，至於何時可以達到，因為有客觀的因素，還需要長期努力；但是，即使今天機會已經存在，我們也還沒有準備好，因為規模還沒達到。

　　我們要拿第一，要先在家裡練兵，等到去參加比賽，再來見真功夫。

　　宏碁有條件成為第一，美國的企業沒辦法像宏碁做這麼多東西，日、韓企業規模雖然大，也不像宏碁是由這麼多小碁組合出來的戰鬥體。我所創的 iO 架構，就是宏碁之道，也是台灣之道、小國之道。

　　以小搏大的策略，我們一定要繼續發展，但是只有宏碁在國際上單打獨鬥，力量太單薄，如果有更多企業加入力量就更大。

第九章

從代工到
自有品牌

以長期的經營模式與未來發展來看，
代工和自有品牌其實是並存的，
企業要重視代工、也要重視自有品牌，
兩者都是生意機會，也有很多知識共通。

我始終認為，台灣企業國際化過程面對的最大挑戰，莫過於品牌管理。如果本地市場夠大，像中國大陸或美國，企業打品牌就相對輕鬆。

品牌是宏碁繳最多學費、挑戰也最大的一環，但是宏碁今後還要繼續投資下去。

打國際化的品牌，首先要掌握鄰近國家的市場占有率，其次就是要多產品線。以宏碁為例，不僅打個人電腦，還要有廣泛產品線的作戰方法。在這方面，台灣企業會碰到的問題，宏碁大概都當開路先鋒體驗過了。

▌代工 vs. 自有品牌

台灣企業做代工是駕輕就熟，似乎生下來就會做，只要建立一些適當的能力，做得比別人便宜，代工客戶就會上門；如果再加上有更好的設計，就更具競爭力。做代工進入市場的障礙較小，可以擁有較少的核心競爭力，況且代工大都是大客戶，企業很快就可以建立起規模。

進入資訊產業之後，因為勞力成本提高，台灣企業的新競爭力就從製造變成了設計。我們以廉價的工程師、快速的設計、比較願意配合代工做彈性改變的能力，建立起新的競爭力，因為我們有降低成本的看家本領，所以做代工的毛利都不差。

代工的問題在於長期，但長期要維持好光景，卻有其困難，因為對客戶的依賴度很高，一般公司都只有兩、三個客戶，甚至某個客戶就占營業額50％以上。

在這種情況下，會感受到很大的心理壓力，萬一單子被取消了，就會有很大損失。早期靠廉價勞工的代工競爭很大，台灣的公司為了掌握代工委託廠商，常常衍生一些不正常的關係，在目前的資訊產業，這種情況已經減少許多。

▌ 不易建立無形資產

代工客戶之所以看上台灣的公司，是因為我們很專心、做得很有效，只要我們分心，想多角化經營自己的生意或做新的產品，一蹉跎，反而惹得代工委託廠商不高興；想要做自己的品牌，客戶更難接受。

像台灣早期的巨大、肯尼士，他們先做代工再做品牌，

製造代工 vs. 設計製造代工

■製造代工是比較容易做的生意。　　■用較少的核心競爭力就可以贏。　　■易於管理。　　■易於建立規模。　　■設計製造代工提供更多的附加價值給代工委託廠商。

轉軌不易。宏碁剛好相反，我們是先做自己的品牌，生米已煮成熟飯，代工委託廠商也拿我們沒辦法。

一般而言，代工與品牌事業的差異，是管理由簡變繁，規模由小變大，時間由短變長，客戶由少變多。

由代工進入自有品牌，是由簡入繁，管理較不容易；由大轉小，因為代工的規模都很大，做自有品牌則要一個個建立客戶，規模不容易大；時間由短而長，做代工，只要客戶做決定下單，就可以生產交貨，但做品牌，有前置、售後服務等步驟，時間就拉長許多。

此外，客戶也由少變多，代工只有兩、三個客戶，很容易服務，自有品牌則有幾十個到千、萬個客戶，做起來可能分身乏術。因此，由代工變成自有品牌，挑戰很大。

但是，代工客戶雖然很少，可是客戶的選擇卻很多，很容易改變決策，因此和客戶的關係並不緊密，而且在做生意時，也沒有辦法建立無形的資產。

■ 台灣發展自有品牌的挑戰

台灣企業要做自己的品牌，是項艱困的挑戰。本地市場太小，產品、技術都不夠創新，比較難在廣泛的市場建立形象，如果用砍價格去打仗，更是辛苦，因此，台灣少有打國際品牌經驗的企業。

過去台灣製（Made in Taiwan）的形象較差，今天情況改善許多，但是對消費者而言，還是沒有多大差別。

　　像電腦相關零組件，如主機板，在全世界做電腦的公司眼中，不管從品質、設計、服務、彈性，台灣都有最好的形象，但是電腦是經過當地代工、系統整合商整合起來，消費者無法了解台灣產品的好形象。

■ 缺乏與消費者溝通的能力

　　話說回來，從這個角度看，台灣企業反而比較輕鬆，因為我們是面對專家，也是面對少眾；如果是面對非專家，要有更大的說服力，面對大眾則要花費更高的廣告費用，因此台灣企業也不具備直接和消費者溝通的條件。

　　台灣企業打自己的品牌，缺乏長期成功的示範案例。到目前，比較有名、做得不錯的，也只有巨大與宏碁；普騰、

代工 vs. 自有品牌

■代工並非穩定的生意。　■贏得或失去一個客戶，對公司影響都很大。　■很難讓生意多角化。　■代工起家的公司要發展自有品牌事業並不容易。　■與顧客關係並不緊密。　■無法累積品牌資產。

肯尼士、旅狐（Travel Fox），在美國市場都失敗了。

▌ 缺乏國家級品牌

十幾年前，自創品牌協會就是由這五家公司草創，積極推動自創品牌，初期還算成功，但是我們不約而同都在美國遭到滑鐵盧。

美國真是難攻的市場，風險高、競爭太大。

台灣沒有辦法靠一個成功的品牌，帶動整個國家的形象，不像德國，汽車做得好，所有德國產品的形象，因此也沾了光。

然而，代工卻是一番截然不同的光景。

每一個項目的代工成功了，像筆記型電腦、螢幕顯示器、主機板，台灣大概都可以容下五家公司，因為代工委託廠商的競爭者來到台灣，不會找同樣一家公司，自然就帶動第二、第三家。

代工只要一家成功，客戶就希望有第二、第三個選擇，所以台灣代工好做。

要在市場建立領先的品牌，理論上實在不容易，所以要找一些代工廠商做合作夥伴，一起配合作戰。

此外，台灣企業資源有限，打品牌這種持久戰，長期很難與人爭鋒。

不過，自創品牌在產業還很新的時候有機會出現，雅虎（Yahoo）就是這樣冒出頭。

▓ 創新價值益發重要

台灣企業如果想要自創品牌，一定要創新，並且實際創造價值。

美國產品很創新、很貴，在少數人認為有價值、但多數人都不認為有價值時，就可以開始自創品牌，而且能夠生存。美國有很多公司都是在這個階段可以活，等到產品成為大眾貨品時反而撐不下去，除非找到亞洲的代工廠商配合。

自創品牌一定要有長期打算，一步步經營。

打品牌如果用我「鄉村包圍城市」的概念，第一個層次是由市場小、較不競爭、需要資源較少的地區先打品牌；第二個層次是做有利基（niche）的產品。

台灣發展自有品牌的挑戰

■本地市場太小。　　■技術、產品較不創新。
■缺乏有經驗的人才。　　■台灣製造（MIT）的形象差。　　■無長期承諾。　　■缺乏成功案例。　　■資源有限，很難與大公司競爭。

　　像早期宏碁做「小教授」學習機打出自己的品牌，但是就長期觀察，宏碁因為有個人電腦的品牌，連帶拉起螢幕顯示器、掃描器、光碟機的品牌。

　　如果資源有限，可以從有利基的產品打品牌，不過，前提是，要有夠多的「鄉村」，因為打仗的時候有一百個鄉村還是不夠，比不上城市勝利所帶動的意義、形象與信心。

■ 借力使力，擴大腹地

　　更重要的是，在某個鄉村的成功，並不表示到另外一個鄉村就會成功；台灣第一不代表到香港一定第一，但如果是美國第一，這塊招牌到哪裡都管用。

　　所以，台灣的廠商一定要積極考慮中國大陸市場，要做好準備，有一天將大陸市場當成是國內市場。

　　因此，以目前台灣企業的規模，我並不贊同到美國去打品牌，因為到美國做生意風險高、管銷費用大，但是我們可以前去「虛晃一招」。

　　以普騰為例，它以台灣市場為主，卻到美國「鍍金」，拿個獎牌、在專業雜誌上有好的報導，花費有限，卻得到不錯的宣傳效果。

▐ 成為他人想合作的對象

以有限資源打市場，找到當地合作夥伴一起配合，也是很重要的考量。

問題是，人家為什麼要跟你合作？他賣你的產品要能賺錢，賺錢的前提是產品創新好賣、毛利很高、價格具競爭力，或他對你有信心。

做品牌是長期的累積，尤其品牌形象就像視覺占有 ——看到這個品牌，即使眼睛閉起來還是有印象在；如果眼睛閉太久，印象就會消失。

品牌要在適當時間不斷重複，現在最大的困境是品牌被視而不見。

市面上有太多品牌，除非這個品牌有突出之處或非常創新，讓人有衝擊，像索尼的電子狗、宏碁的「渴望」電腦，

台灣自有品牌企業的策略

■開發有創新價值的技術與產品。　■步步為營，長期規劃。　■由周邊產品開始，再進入核心市場。　■針對美國市場，只借重公關的形象。　■與當地夥伴分享成果。　■持續的行銷活動。　■價格戰是大忌諱。　■準備掌握中國市場。

才能讓消費者在眾多品牌中看到。因此，創新價值的產品、技術，變得愈益重要。

▌品牌是無價之寶

打品牌最忌諱的就是價格戰爭，不管在哪個產業，打價格戰都不能長期成功，除非是重新定義消費者的需求。如果產品有同樣的價值，砍價格的做法毫無用處。

在商場上，品牌是無形的資產，它常常是在剎那間賦予消費者無形的價值。

我認為，品牌並不是提高消費者附加價值的理由，品牌的目標是以合理的價值達到降低成本的效果，因為無形的資產如果擴大，單位成本就會大幅降低，所以品牌有降低成本的效益。品牌還有容易借到錢、找到好人才的好處，這也會降低成本。

有形的物品經過量產，當然也可以適度降低成本，但是這種風險很大，因為稍不小心就會供過於求。

市場上從來沒有供需完全一致的時候，供需不平衡是常態，因此有形的量產就意謂風險。投資有形的設備，如果不能在折舊年限之內賺回來、產能沒有利用的話，都是未來的負擔。

無形的量產當然也有風險，但是風險是在投資者，對股

價有影響。

　　有形投資的負擔較無形的投資更重，投資於無形資產，隨時可以收手，但是買一台會折舊的機器，卻無法收回來。

　　品牌是一種無價之寶。宏碁在1990年初期開始虧本，外商銀行抽銀根，但是國內銀行全部支持，就是拜品牌之賜。國外雜誌甚至大膽猜測是政府在幕後支持我們，因為宏碁是台灣唯一的品牌，這根本是無稽之談。

　　由此可以看出，品牌價值有多少，是生死關頭還可以依靠的資產。

■ 打破品牌迷思

　　有很多理論都說，要好好投資廣告，把品牌建立起來，產品才可以賣高價。我覺得這種概念是個陷阱，會提高未來的花費，因為品牌形象在還沒有那個價值之前就收這麼高的費用，消費者會愈來愈少。

品牌名稱的考量

■簡潔、獨特的名稱與標誌。　　　■商標註冊。
■重新命名、設計新識別系統：相於過去，是不同的公司、不同的生意，要迎接未來、創新形象。

我很忌諱有品牌就可以貴賣的說法，也有過慘痛的教訓。2000年3月，宏碁在大陸打了一場大勝仗，桌上型電腦在一個月內賣出的量，是過去的五、六倍之多。

過去，宏碁打不開大陸市場，因為宏碁自認是世界品牌，要跟IBM、康柏、惠普比，價格當然就要比大陸本地的電腦商聯想公司貴，把自己定位這麼高，就沒有降低成本的空間。

後來，我們改用「國際品牌、本土價格」的策略，打宏碁的品牌、賣聯想的價格，結果發現毛利不但沒有降低，反而提高。

這是經營的心態，如果認為有品牌就要賣得貴，就輸定了，無法永續經營。

品牌應該簡單、易記

品牌，要讓人有印象，最好是簡單、容易記。現在最新的品牌名稱概念，是不打出標誌，而是將名字與標誌結合在一起。

早期對品牌的概念，就是放一個標誌，但，IBM、戴爾電腦都沒有標誌，只是在名字的寫法上變化。

IBM這個名稱，唯我獨尊了許久，已經成為電腦的代名詞，消費者都認識它。在中國大陸，消費者只認得這三個英

文字母，對他們來說，IBM 幾乎等於中文字。

品牌名稱的差異，就是在名字，所以，要盡量用簡單的英文名字。

日本最為人熟知的國際品牌公司就是索尼（SONY），像松下（Matsushita）、三菱（Mitsubishi）這兩家跨國公司，聽起來都差不多。宏碁的品牌名稱是將中英文分開思考，中文是中文，英文不用傳統的翻譯模式。

此外，要打國際品牌，登記商標也很重要，品牌的名字與商標都要去登記。宏碁 1987 年改名為 Acer，到一百多個國家登記，除了英國有一家建築師事務所也叫 Acer 之外，都順利完成登記。

▌ 為創新，改名無妨

我要特別強調，品牌的名稱、識別體系可以不斷改變，在我的經驗中，似乎沒有看過不曾更改名稱或商標的公司。理由很簡單，在公司誕生的時候，不會想到有一天公司會變得那麼「偉大」，所以改改名字也無妨。

有些公司堅持行不改名、坐不改姓，很多日本公司就是如此，這是傳統的觀念，已不符時代所需。

改名的原因，可能是公司已經不同，生意也不一樣，要去迎接更大的未來；更何況，企業原有的形象可能不那麼有

利，為了塑造新形象，可以考慮改變商標或名字。

宏碁在2000年4月推出了「e-life show」，從一家個人電腦公司全面變成e化的企業，重新塑造出一個有益於未來的新形象。

因為，在所有的電腦公司裡，除了戴爾代表行銷創新成功之外，個人電腦代表的就是沒有創新、「me too」的公司，IBM、惠普的個人電腦也都沒有創新，電腦公司就要不斷考量自己的形象，否則對未來的業務十分不利。

▌單品牌好還是多品牌好？

品牌的學問既深且廣，公司必須考慮是採用單一品牌名稱涵蓋眾多產品，如：IBM、索尼；或是打多品牌名稱，如：寶僑。

多品牌尤其適用於流行性產品，當某個產品形象流行之後，如果要將這個品牌應用到另外一項新產品，因為定價、市場區隔都不同，最好是用多品牌的方法。

最近最流行的化妝品牌SK-II，誰知道它是哪一家公司的產品？它就是一個多品牌的公司。但是，汽車廠牌就不是如此，它是用副品牌的模式，一個品牌推出之後，接著出現一些系列品牌。

經營品牌一定要很小心，不慎混淆了，企業自己渾然不

覺，但在消費者市場產生負面效果，會影響到未來營運。

　　兩年前宏碁集團引進全員品牌管理（見圖9-1）的做法，大家在一起重新思考公司為什麼存在？它的目標是什麼？我們之所以重新定位品牌，是因為沒有辦法有效、持續的對大眾傳遞我們的形象。

　　如果沒有搞清楚品牌形象，所作所為甚至跟想要塑造的形象相衝突，所有努力就付諸流水。

圖9-1　宏碁集團的品牌基礎

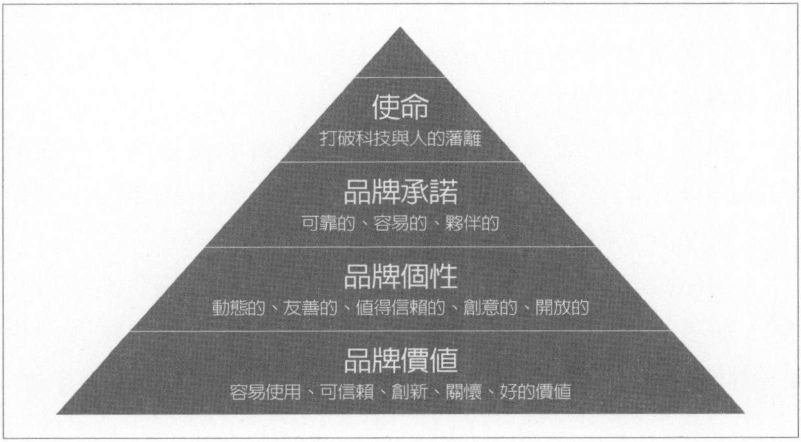

使命
打破科技與人的藩籬

品牌承諾
可靠的、容易的、夥伴的

品牌個性
動態的、友善的、值得信賴的、創意的、開放的

品牌價值
容易使用、可信賴、創新、關懷、好的價值

▋ 為品牌定位

宏碁成立了二十幾年，不過往後看七十年甚至數百年，到底公司要完成的使命是什麼？宏碁的使命是人人享受新鮮科技，消除人和科技之間的障礙。

我們的使命，不僅是發展科技，更是著眼於客戶需求，不論是開創新產品或服務，都是要消除科技和人的障礙。

此外，宏碁的品牌對消費者做了哪些承諾？

我們有三類消費者：第一種是代工委託廠商，即產業，我們的承諾是可依賴的夥伴；第二種是對商業公司，我們是可靠的；第三種是對消費大眾，我們是方便的、簡單的。我們對消費者做出這樣的承諾，也形塑相同的形象。

關於宏碁品牌的個性，我們內部首先列舉出一、二十個特色，再從其中挑出五個特質 —— 動態的、友善的、值得信賴的、非常有創意的、非常開放的。

其實，說到最後就是要捫心自問：對消費者而言，宏碁的品牌價值何在？宏碁的價值是容易使用的、可靠的、創新的、關懷的、物超所值的。

每個公司本來就應該有這樣的價值，當然都有其獨特之處，每項產品在不同時間也都有要重視的地方，要隨著大環境變化做必要的調整，集中全力努力。

全員品牌管理是一種新的做法，就像早期做品管，後來

就發展出全員品質管理。

品牌形象其實是很複雜的概念，建立品牌，是企業的核心功能之一。

■ 宏碁的全員品牌管理

早期宏碁打品牌，是做多少算多少，完全靠靈感，但是這樣不能打組織戰，所以一定要有計畫、系統化，在市場上建立品牌的形象。

我們做品牌計畫，一定會到各個國家衡量，不論用市場調查或焦點團體，針對每個市場做必要強調、調整。

根據宏碁所做的調查，宏碁打品牌的戰果在台灣是第一，東南亞是第二，歐洲是第三，但在美國就很少人聽過 Acer。

宏碁的全員品牌管理

■全員品牌管理用於品牌，就好比全員品質管理用於品質。　■品牌是一種模糊、複雜的概念。■品牌的建立是企業的核心功能。　■品牌需要有計畫、有系統、謹慎處理。　■必須評估量化品牌產生的效果。　■全員品牌管理是注重對市場帶來的結果，不是過程。

　　做全員品牌管理求的是市場的結果，我們是以未來的結果以及所產生的形象，全面來考量品牌管理的系統。

　　公司經過多年努力經營品牌之後，到最後要問的就是，到底Acer是什麼（見圖9-2）？

　　我們認為，是方便使用的（user-friendly）、容易的、可靠的、負擔得起的產品。但是要達到這個目標，公司的業務人員、文化、心態是不是都調整好了？

　　宏碁的口號就是「we hear you」，要達到這個目標，一定要傾聽顧客的聲音、了解他的需求，有了這個基礎，才能做為內部運作的方向，同時做為集中訴求的目標。我們講究

圖9-2　宏碁的全員品牌管理

全球化，所以訴求點也是具有普遍化、全球一致的需求。

▓ 資源分配

做自己的品牌，要有最起碼的資源。

我記得有一種「跳懸崖」的說法，打品牌就像跳懸崖，跳不過去就墜入深淵；當然規模愈大、目標愈大，懸崖也愈陡峭。

一定要有最起碼的資源，找出市場的區隔、地區、產品，如果不能承諾有最起碼的資源，很可能就是徒勞無功。

最重要的是，如何選擇能力所及的懸崖，先建立跳過去的信心、模式，再慢慢擴張。

所以，在打品牌的時候，可以把目標里程（milestone）分割得很細。

台灣人做生意並不是如此，只要有訂單就好了，不會做

資源分配的關鍵思維

■有最起碼的資源持續經營。　■發展出可依循的典範。　■資源永遠不夠，一定要有焦點。
■集中特定市場、產品、顧客群。　■分階段建立管理基礎架構。

詳細規劃；美國人就不然，他們要打品牌會訂出焦點，集中火力打。在自創品牌的時候，大家都覺得資源不夠，因此要集中力量，在某一段時間將焦點定在某一個市場或產品。

我常常自我檢討，同樣都是宏碁的產品，為什麼在不同國家會有不同結果，義大利拿第一，在美國卻虧損？

究其原因，都是當地的管理架構出了問題，關鍵不在產品，而在管理。所以，要一步步、專精的把管理的基礎條件建立好。

尤其從管理的角度看，從一百個人變成一千個人的生產團隊很簡單，從一百個人變成一千個人的銷售團隊就非常難管理，需要花很長的時間。

▌網路世界仍需通路

在國際市場，做自己的品牌要透過通路。有人認為，在網際網路時代不需要通路，可以直接面對消費者，我想事情沒有這麼單純。

網路裡也有 e 通路，產品是自己做通路好，還是透過虛擬通路和其他公司配合好？何況，很多產品還是要透過實體通路才能真正滿足消費者。

當產品進入國際市場時，就要想到經銷商、零售商、終端用戶這三層，決定到底要建構什麼樣的通路？是給獨家代

理，還是透過多管道通路？當然，如果產品很強勢，可以透過多管道通路；如果產品居於弱勢，只好找獨家代理。

宏碁早期進入國際市場，如果不是給獨家代理，根本不會有人願意幫忙。但是，英特爾來到台灣，它不但不給我們獨家代理，還要我們放棄它的競爭者超微（AMD）。

商場很現實，就是看實力，宏碁本來是超微最大的代理商，為了做英特爾的生意，只得把他們丟掉。

售後服務與庫存管理

隨著宏碁品牌逐漸強勢，慢慢從獨家代理變成多管道通路；另外，我們到歐洲不得不自己當經銷商。

自己當經銷商，問題也不少，行銷費用、庫存、支援都要自己做，自己直接面對業者，就是多管道的通路。

不論是指定經銷商代理，還是自己面對零售商，最大的

通路策略的重要考量

■透過單一或多家經銷商。　　■以經銷商角色面對零售商。　　■釐清支援、服務的責任歸屬。
■通路忠誠 vs. 通路彈性。　　■通路流程問題。
■給通路的信用額度。　　■通路的合作條件及方法。　　■與通路商聯合促銷。

問題是消費者的售後服務、庫存管理，到底該由誰負責？

宏碁在美國是透過大型連鎖零售商，這種通路有點像寄賣、假結帳，我們送貨給它，它可以退貨，賣不掉的責任都在我們身上。

此外，通路與公司的關係又是什麼？它到底忠不忠誠？賣個人電腦最大的難處是通路流程的問題。

通路到底是誰的？這就牽涉到推（push）和拉（pull）兩種截然不同的方式。

台灣傳統都是用推的方式，把產品丟給經銷商，它再丟給業者，因此利潤只有一點點，不可能負更多責任。美國用的是拉的模式，市場定價由公司決定，降價的主動權在公司，賣不掉也要自行負責。

個人電腦最大的毛病是「me too」，產品都一樣，所以大家都要搶通路，結果所有的負擔都壓在個人電腦廠商。

到目前，所有個人電腦公司都輸了，但是又不能放棄這個通路，因為品牌形象像一種氣勢，打仗要有氣勢，如果在零售點沒有兵，會出現很大的漏洞。

宏碁從美國的零售市場退下來，氣勢大不如前，但是如果為了要維持氣勢，不知道要丟多少錢進去，所以我暫時不要面子。IBM後來也退出來，惠普就不能退，它還有其他的噴墨印表機、掃描器都在零售商，退不得。

通路商的信用額度

通路商的信用額度也是個麻煩，早期台灣有幾家電腦公司都是因為在歐美市場被通路商倒帳而垮掉，尤其在市場產生變化時這種狀況特別容易發生。

1991年，電腦名牌康柏降價30％以上，歐洲的通路經銷商幾乎全垮，不是轉型就是倒閉。

我們目前在大陸的做法，已經是第三翻，從經過香港獨家代理、十幾家代理（有的在香港交貨，有的在當地交貨），到現在內部經過內陸三百家運作，由我們直接面對。

我們的方法再怎麼硬，要信用狀、要現金，但是到最後，當市場成長的時候，經銷商的資源都不夠，沒錢時就跟你商量要你放帳，一放缺口就愈來愈大，根本拿不回來。

我當時不答應放帳，但是經辦人員很難回絕，因為好不容易才打開市場、訂單又那麼多，就答應給部分的信用額

做好顧客服務應有的認知

■誰的顧客？是擁有品牌的公司或是製造商？
■服務是建立品牌形象的關鍵因素。　　■產品的責任歸屬。　　■第三者的服務。　　■美國市場的挑戰。

度，然後就開始吃倒帳。

　　康柏在大陸虧了一億多元，也是收不回來。如果你讓它有機可乘，它一定會要你放寬信用額度，因為倒帳比賺錢快太多了。

　　至於和通路商合作做促銷，除非它是獨家代理才會願意合作，如果不是獨家，可以借重它做促銷，不過都是要花自己的錢。就像英特爾把所有的個人電腦當通路，所以「Intel Inside」的促銷費都是以英特爾為主。

■ 服務由品牌負責

　　在客戶服務的領域，到底客戶是屬於製造廠商的還是品牌的？有品牌才有客戶，製造廠商並不代表什麼。

　　打品牌最關鍵的就是服務，最省事的就是找到不需要服務的產品，網球拍可能不太需要服務，腳踏車要服務的地方稍多，電腦的服務就很多。

　　找到不需要服務的產品，可能是切入國際品牌的重要選擇要素；螢幕顯示器所需要的服務，就比個人電腦少了很多。不要小看服務，連在台灣要做好服務，都是極大的考驗。

　　在美國市場做服務更是一項「不可能的任務」，消費者控訴打鍵盤手受傷，IBM、康柏、惠普以及宏碁，就常常因此被告。14吋的電腦螢幕實際只有13.5吋，整個產業的行規

就是如此，律師說這是欺騙客戶，我們又被告。還好我們在美國有買保險，有這樣的問題就交給保險公司處理。

在美國、歐洲還有第三者服務的問題。我記得1990年初期，宏碁一進去美國市場，發現做服務很累，就想找其他公司代做服務，但是也做不好。

因為我們在背後要提供支援、人員訓練等等，而且客戶的抱怨是直接到我們公司，這些都是問題。雖然我們是借重已經部署得密密麻麻的服務網，但是服務還是由品牌公司負責，消費者才不管你委託誰負責。

■ 台灣企業國際化之前應有的體悟

台灣企業要做代工還是自有品牌，實際上面臨了兩難；如果不準備長期抗戰，做代工也可以，只是代工本來就起起浮浮，但是台灣代工除了會生產，還可以設計，錢也投入很大，風險自行承擔，所以可以多做一點，競爭力也比以前好；也許代工多做幾年，就慢慢具備發展自有品牌的條件。

在資訊產業，台灣企業要打品牌，比十年前的條件強了許多，主要原因是在製造代工、設計製造代工過程中，建立了很好的籌碼。不過，打舊產品沒希望，因為沒有創新；打新產品風險太高，這也是兩難。

台灣的自有品牌事業要有不同發展模式，最好能找到有

利基的產品，打出一片天下，像趨勢科技就是從台灣開始，在日本、美國有不錯的成績。

不過，趨勢科技到底算是台灣的公司，還是日本、美國的公司？

在1978年，我曾經動過把公司總部搬到美國的念頭，因為要打品牌，總部在美國有很大的優勢。實際上，早期有一家名為ARC（American Research Corporation）的佳佳電腦公司，總部就放在美國，初期也占了一些便宜。

對台灣企業最重要的，就是擁有大陸與東南亞的市場，我們不搶，還要誰來占有？美國就沒有我們這種距離近的優勢，打仗的時候遠征軍當然吃虧。

我覺得，打品牌，公關可以利用美國，不管是被專業雜誌報導或參加比賽得獎，利用美國做公關形象。

▌ 都是生意機會

我不斷強調，科技發展是全球化，行銷、服務就需要結合地緣。

以長期的經營模式以及新的未來發展看來，代工和自有品牌事業，其實是兩者並存，企業要重視自有品牌，也要重視代工，都是生意機會，兩者有很多知識共通，就算IBM這樣的品牌，也開始做代工，日本的品牌公司也已經做起代工。

從經營的角度，如果看我的微笑曲線圖（見第52-53頁），左邊和右邊已經分開來了。

以前，兩邊一起做是一貫作業，科技與行銷、服務是一體的；現在，所有的生意都要分開，科技應該是多管道的通路，愈多愈好，自己的品牌可以用這些技術，代工也可以特許授權。

至於以品牌為主的行銷與服務就要專注，自己要掌握。

大家都說代工和品牌有衝突，但隨著時間發展會愈來愈模糊，因此，對台灣未來的發展還是很有利。

宏碁做自創品牌是件有意義的事情，做品牌要掌握先機，不過如果能重新來過，沒有把握的部分我覺得再延遲一會兒也無妨，還可以少繳一點學費。

台灣企業國際化之前應有的體悟

■做代工或自有品牌，台灣企業的兩難。　■發展自有品牌，不宜採短線做法。　■需要更成功的自有品牌事業典範。　■掌握大中國及東南亞市場更為明智。　■借重美國的公關，打全球形象。　■了解全球化與當地化競爭的關聯。■解決自有品牌與代工事業的衝突，成為新世紀的核心競爭。

打市場要入境隨俗

　　問：你提到打美國、大陸市場都遇到一些挫折，難道事前都沒有對產品、通路做分析評估嗎？

　　答：實務上沒有。以14吋電腦螢幕被消費者告為例，是美國廠商先犯錯，宏碁只是入境隨俗而已。打市場幾乎都要入境隨俗，除非產品擁有絕對優勢，人家不得不找你。

　　比如說，我們在台灣做生意都是用信用狀，是進口商或採購代表到台灣來，挑完貨，用信用狀付費，出貨之後所有的問題都由他們負責，因為他們事前已經先了解材料、風險等等因素。

　　但是，我們到美國出貨並不是賣給進口商，我們的買主很多，但他們買了貨，東西壞了可以退貨；我們要他們開信用狀，他們就用「什麼是信用狀」或財務人員不會開信用狀等藉口推託。

　　打自己品牌，深入市場之處就要入境隨俗，採用

當地通用的模式。可是,我們去世界各地,有那麼多風俗,不可能全部都懂,因此經常碰壁。

因此,我一直強調,台灣要訓練這方面的人才,深入市場了解每個地方的規矩。

話說回來,我們到國外被欺負,外國公司到台灣也會被我們欺負,這是天經地義的事情。

比如說,台灣有一種「竹竿票」(長期支票),其實在台灣也可以做現金交易,外商來到這裡,如果廠商唬你說只能開「竹竿票」就「死」定了。我們到國外去也是如此,不小心就只有挨打的份。

以大陸為進軍世界的練兵場

問:你一直強調要占有大陸市場,但是大陸還是靠人治,付學費也不見得學到好經驗,到大陸做生意有沒有一套有效的方法?

答:宏碁在大陸的投資,占整個集團總投資額不到3%。我們當然要假設大陸會因為市場經濟慢慢法治化,大陸市場可能成為世界第二大市場,有很多傳統產業的市場,甚至比美國還大,像電視機、食品產業。

撇開政治問題，這麼大的市場，你要不要做？如果有機會，可以打得比美國公司更好，難道要放棄？

台灣企業如果要打自有品牌，不借重大陸市場，長期一定會吃虧。歐美日本都非常重視大陸市場，他們已經打遍天下，把大陸當成最後一塊肥肉，以前因為這塊市場封閉掌握不到，現在已經成為兵家必爭之地。

台灣企業走的路恰好相反，我們是要從這裡打進全世界，先在大陸市場練兵，掌握一定的經濟規模、訓練足夠的人才，才能在歐美市場與國外企業平起平坐。

對台灣企業而言，大陸市場代表的意義，是進軍世界前的練兵場所。

當地品牌有其優勢

在個人電腦的產業領域，除非是該國沒有做個人電腦的公司或太落後，還沒有哪個國家的第一名是被其他國家的電腦廠商拿走，日本、韓國、台灣、美國都是當地的品牌拿第一，沒有哪一個國際品牌是絕對領先。

我們當然不能一頭栽進大陸，把所有的寶都押在那裡。我們不打輸不起的仗，以宏碁的立場，投資大

陸的金額占5%、10%，甚至到15%都不為過，即使是20%，都不算是太大的風險。

我們要積極投入大陸，只是我們不會在尚未建立管理的基礎架構之前就一頭熱栽進去。

以大陸為據點做全球市場的台商，大都可以提升競爭力。台灣現在的資訊產業，除了筆記型電腦以外，90%以上幾乎都在海外生產，其中泰半是在大陸。

做好準備，步步為營

台灣的資訊產業，已完全和大陸融為一體，達到世界的競爭力。規模較大的台商，大概都是用正規方法與當地政府建立互惠的關係，因此帶動一些中小企業到大陸做衛星工廠，這是良性的發展。

今天最大的問題是，在大陸法令不清楚的情況下，要怎樣打市場才能持久？

如果要入境隨俗，我們不清楚這些風俗那種錢就賺不到，雖然眼看當地人利用灰色地帶賺錢，但這個錢本來就不是我們能賺的，因為這是保護主義的一環。

其實我們也不必悲觀，大陸最近的發展進步很多，

做生意的客觀環境愈來愈好。我的看法是要從長計議，一步步往前走，政治上若出現任何變化，隨時可以退。

經營品牌永無止境

問：宏碁對品牌有明確的定位，如何將這種定位深植於終端用戶，產生效果？

答：品牌的經營就跟品質控管一樣，要做很多努力，追求是永無止境的。

我們並沒有設定某個目標，但是每年會定期評估進展，如果辦了很多活動效益卻不彰，可能會調整方向，看到底是透過公關還是公益活動來做。我們大概擬出行銷費用要占多少百分比，規劃怎麼做比較有效。

全員品牌管理有沒有一套方法？是不是一致？有沒有共識？如果都沒有會不會有差距？我們會從這些角度評估值不值得做。

美國也是發展多年後，最近才出現這種新制度。品質管理後來又冒出六個 Σ 的概念，國內採用的還很少，不只從品質來思考，也從顧客的價值，一路思考下來。

這些都是管理上的精益求精，不做，日子照過；做

了，還是一樣過日子。

台灣資訊產業的兩難

問：宏碁是自有品牌的成功案例，台灣資訊產業到底要做自己的品牌，還是從代工做起？

答：如果是比較成熟的產業，我們較沒有機會做自己的品牌。

宏碁做自有品牌的時候，產業還沒有成熟，我們也是先做「小教授」一號、二號、三號，然後，第四、五個產品，才是個人電腦；如果已經是成熟的產業，根本沒有時間慢慢熬。

所以，在未成熟之前，透過創新、長期的願景，慢慢塑造自己的品牌。

先有品牌，也不見得會妨礙代工，況且，未來的世界可能不在乎先做品牌或先做代工，建立自己的品牌之後還願意代工，人家也可以配合。

如果先做代工，再做自己的品牌，就要走很長的路，可能永遠也達不到。

半導體業也需要打品牌

問：主品牌和副品牌何者重要？一般的零組件公司，顧客並非一般消費者，需不需要做品牌？

答：半導體產業也需要打品牌，「Intel Inside」打的也是品牌。

每家公司都有個名字，應該和它的行為、形象結合，品牌如果讓消費者「想到這件事情就想到我」，就降低了成本。代工也可以做到「想到這件事都來找我」，這樣生意就好做多了。

如果從品牌思考，一般應以主品牌為主，但是流行性商品因為不同產品有不同定位，沿用同一個品牌無法解決問題。流行性商品一定是用多品牌，汽車、電腦、機械都應該是單一品牌。

宏碁長期只有兩個副品牌，一個是「Aspire」電腦，一個是「Acer 121 網路服務」。我用 Aspire 這個次品牌，是希冀藉其創新提高 Acer 在美國的形象，因為 Acer 是普通的個人電腦品牌，我利用 Aspire by Acer 將它拉高，在亞洲則用 Acer Aspire，因為在亞洲 Acer 已經是形象好的品牌。

王道心解

看不見的更有價值

在台灣有限的資源下，產業界應該思考，我們要做什麼比較能產生綜效。

王道企業也在追求創造價值最大化，但我們不能再以技術為中心思考，必須以客戶為中心，設法創造最高的價值，否則價值必定有限。

回饋再提升

過去，對於台灣的製造業，總有人形容它是「逐水草（低成本）而居」，從某種角度看，這的確是事實。

但是，同樣也不能否認，藉由他們強大的製造能力，以及中小企業「一卡皮箱」闖天涯的勇氣，不斷前往中國大陸、東南亞、東歐、拉丁美洲、非洲投資，共同創造利潤，累積的成果，又再回頭提升自己的國際行銷、技術研發等核

心能力。

這樣的結果，對投資人、員工和他們的家庭，以及整個社會、國與國之間的關係，都帶來效益，創造不同的價值。所以，縱使是基於商業考量，卻又同時體現了王道。

用什麼衡量價值

然而，問題來了，價值的創造是相對的，企業在做出各種決策判斷時就必須思考，要把什麼東西放在天平的兩端做比較。

回顧宏碁的國際化路程，曾提出許多創新的概念，也初步奏效。但是隨著PC快速降價、汰舊換新迅速等因素，原本的成功策略開始受到考驗。

在宏碁全球化的第三階段，「全球品牌、結合地緣」、「主從式架構組織」，原本都是各地公司各自為政，品牌也只有一個大原則做為參考，運作方式因地制宜。到了1997年我就發現，這個方式固然有好處，卻也有瓶頸，例如庫存龐大，隨之產生如何管理等等需求。

甚至，PC不只是產品本身的競爭，還有像是顧客服務等面向。於是我開始思考，在主從架構下，如何面對未來的任務分配調整，因此產生iO聯網組織。

　　當年，我在知識經濟的潮流下，提出iO聯網組織的管理概念；等到1998年準二造宏碁時，更曾想把組織由主從架構改為iO聯網組織架構。

　　但是，到了2000年，我卻進一步領悟到，組織是由人所組成，充滿許多變數，不像電腦那麼「聽話」。

　　只是，即使這麼做會有許多管理問題，但我相信，這樣的架構，還是勝過傳統疊床架屋的組織模式。

　　後來，又經過這些年，我更進一步歸整出，要解決這個問題，關鍵在於領導人，他必須提出能夠讓大家共同創造價值、利益平衡的誘因，才能讓人才得以在組織裡發揮長才、貢獻價值，最終實現王道的理想，讓個人、組織與社會、環境都能永續。

人才勝過錢財

　　當天平的兩端出現不平衡，不利於創造長期價值；可是，不平衡又往往才是常態。組織是由人所組成，如果人不平衡，問題自然發生。

　　要判斷企業究竟有否創造價值，除了以往的股東權益報酬率（ROE），更應該長期追蹤兩個指標：人力資源投資報酬率（return on human resource, ROH）與自然資源投資報酬

率（return on natural resources, RON），注重對人才的培養，以及對環境的影響。

從這個角度看，傳承是組織中很重要的一項核心能力；不僅是最高領導者的傳承，也不只是高階主管的傳承，而是各中階、低階部門的領導人都必須做到傳承，才能新陳代謝、生生不息。

全面而不片面

組織裡的傳承，是一種全面性的機制，管理者如果只著重顯性價值，就很容易忽略這種隱形的部分。所以，在王道思維下，有時領導者不僅不該只注重顯性價值；甚至反過來，因為未雨綢繆，有時犧牲短期顯性價值的體現，而換取更大的總價值。

值得一提的是，在各種利害相關者當中，人才是企業最珍貴的資產，卻也是最難照顧、取得信任的一環。

所以，企業中各個階層的領導人，都必須致力於為企業培育未來領導人才，並且形成一種文化系統與制度。也只有這樣的企業，才最有可能勝出。

CHAPTER 4

e 領導

企業文化是組織運作的基礎，
需要透過潛移默化，
讓所有人都有為它而努力的使命感，
當市場機會出現時，
才可能準備好迎戰必須的競爭力。
在別人還沒看見、感覺不到的時候，
領先一步。

第十章

無形的
基礎建設

── 願景與企業文化

企業文化是企業最重要的軟體基礎架構，
也是企業成敗的關鍵，
企業要追求卓越，最基本的要件
就是有很好的願景、文化。

企業文化是企業最重要的軟體基礎架構，也是企業成敗的關鍵。企業要追求卓越，最基本的要件，就是有很好的願景、文化。

■ 何謂願景

到底什麼是願景？願景為什麼重要？企業如何發展一個有效的、大家願意努力的願景？隨著時間變化、規模發展，企業常常也要修改既有願景，提出新願景。

1989年，我受邀到總統府演講，談台灣高科技未來的發展策略時，提出科技島的願景與世界公民的理念。

我認為，台灣要長期發展應該以科技島為願景，而科技島只是生活品質提升、產業提高附加價值的代名詞，不限於高科技產業。此外，台灣企業要以世界公民，做為國際化的基礎理念。

願景是一種可實現的夢想。就以科技島為例，政府投資科學園區可說是「四兩撥千斤」，投資有限，卻帶動了數百倍、數千倍台灣產業人力財力的資源，由此可見，科技島的願景是可以實現的。

願景會讓大家受到鼓舞，我提出科技島願景之後第二天，媒體大篇幅報導，社會大眾普遍認同台灣就應該是一個高科技島。

我的想法，無疑言中大家心裡追求的目標，目前發展出的「矽島」、「綠色矽島」，都是從此衍生出來的概念。

　　願景並不是一個目標，它值得大家長期為之努力。

　　成為世界第一是目標而非願景，如果達到世界第一又要如何？願景是長期不斷的追求，不是明天就可以做到的事情，但也不能遙遙無期，沒有人有耐心去追求看不到、自己也沒有信心的願景。

　　願景的方向要正確，成立企業當然有一定的想法、使命，願景應該與之相關才會產生效果。

▋ 塑造使命，累積力量

　　願景之所以重要，是塑造使命，讓每個人都願意為之拚命、努力。願景有累積的效果，企業是日積月累的累積，要產生有效的力量，就要讓大家往相同的方向。然而，累積這些努力需要一個願景，所作所為都不背離它。

何謂願景

■可實現的夢想。　　　　■所有人都為之興奮。

■值得長期追求。　　　　■不是短期目標，但也不能
遙遙無期。　　　　　　　遙遙無期。

　　尤其現在經營企業,雖然自由,競爭也多,因此要比他人領先一步,在別人還未看見、尚無感覺的時候,你早有一個願景,經過長時間努力,當市場機會出現時,你已經備妥所有的競爭力,此即所謂的「建立競爭障礙」(entry barrier)。

　　以網際網路為例,企業如果沒有願景,只是看著美國的做法亦步亦趨,可以預見結果 —— 初期因為沒有經驗,所以效果不彰;即使做出來,累積的成果也沒有障礙,因為別人可以用更低的成本、更快的速度,做得更出色。因此,企業在投入某個事業時若沒有願景,就會有很大的風險。

■ 掌握趨勢發展願景

　　要建立有效的願景,首先要掌握未來大環境的趨勢。

　　依我的觀察,完成願景通常需時十年。在願景之下,應訂定五年目標、十年目標,先了解未來的發展趨勢,才能有效達成。

　　此外,對自己要做的事情當然得充分了解,一定要將事業範圍界定清楚。

　　很多人談願景,都圍繞在與企業業務毫無關聯的事情上,這樣當然無可厚非,但除非準備改變原來從事的事業,否則願景與自己的事業無關,對企業的競爭力自然有所損害。

願景，主要是針對企業內部與企業夥伴，而不是對外。

　　願景，是眾人之事，一般而言，都要找公司主要幹部一起探討，大家透過腦力激盪的方式，確立整個企業、組織的願景。

　　幹部對願景有了共識之後，就需要對全員、由上而下的溝通，形成集體共識。

透過溝通落實願景

　　願景有時只是一個方向，可以有很多的詮釋，也會隨著時間、溝通愈來愈清楚，並可逐漸落實在工作上。

　　組織裡的各種想法，其實都連結在一起。

　　舉例來說，宏碁集團人人享受新鮮科技的願景，就會導出宏碁品牌「打破人與科技的藩籬」的願景，這兩種願景相互輝映，要讓人人享受新鮮科技，一定要先打破人與科技之間的障礙。

願景為何重要

■培養所有人都願意為之努力的使命。　　■使得所有投資都用於同一方向。　　■累積長期的努力。　　■比競爭對手領先一步。

　　三年前，宏碁由一家硬體公司跨入軟體事業。當時我們就提出「創造人性化位元」的願景，這和集團願景「人人享受新鮮科技」是一體的兩面。在軟體事業中，宏碁所做的任何軟體，應該都是人人可以享受的。

　　近來，宏碁跨入網路服務的事業，就提出「網路生活，亮麗你我」。大組織和次集團都是往同樣的方向，力量就容易集中。

■ 何時需要新願景

　　何時需要重新規劃新的願景？外在大環境改觀時，就需要再找出新的願景。由科技帶動的革命，如：發明引擎、網際網路，一定造成客觀環境的地殼大變動，因此企業要提出新願景應變。

　　宏碁的「人人享受新鮮科技」，就是希望讓企業的願景比較「中性」，即使出現新的科技，也同樣可讓人人享受。

　　外在環境劇變，對較中性的願景不至有太大的影響；如果外在變動影響到企業的方向，一定要趕快調整，否則就是做白工。

　　企業內部條件改變時，也需要調整願景。二十四年前，宏碁資產只有新台幣一百萬元、員工十幾人，相較於現在一千多億元資產、三萬五千名員工，條件完全改觀，自然需

要不同的願景。

　　願景是一個可以成真的美夢，規模小不能做太大的夢，圓夢之後也要重新建立一個夢。

　　當組織最高領導者易人或營運走下坡時，不要找一大堆藉口，不行就是不行，一定要重新評估原有願景是否已不符所需。

▍宏碁123

　　經營理念所代表的意義，是對一些事情的信仰，比如說，我就相信企業公民的理念，公民有權利也要盡義務，在台灣經營，我們是公民；到國外投資，我們就是當地的企業公民。

　　企業要將自己深信的理念建立為一套價值系統，成為企業堅持的動力。

理念如何落實

■形成基本的信念。　　■建立價值系統。
■成為方向一致的動力。　　■集中建立核心競爭力。　　■提高組織綜效。　　■帶領持續改善與進步。

　　相信這個經營理念，努力建立企業的核心競爭力，每個員工就會有共同的方向，比較容易發揮組織團隊的力量。秉持這樣的信念，才會不斷改善企業的經營。

　　宏碁有個最基本的理念，就是客戶第一、員工第二、股東第三。這個順序要得到大家的認同，而且行為也要符合，變成一套企業的想法。

　　一般企業的想法就是要賺錢，優先順序一定是以股東為先，美國所有的理論，都是「創造股東的價值」（create shareholder's value），以股東為最優先，但是他們也提出客戶至上的觀念。

　　宏碁的理念，是把股東放在第三，我們說服股東，宏碁不是經營短期股東的利益，而是經營長期股東的利益。

　　要達到這個目的，一定要讓員工安心，將客戶服務好，自然會回饋利潤，建立在消費者利益之上的利潤才可以永續。

▓ 不留一手，生生不息

　　如果股東還是聽不進去，我就拿出殺手鐧 —— 我是集團最大股東，我相信這個理念，照我的方法辦。

　　宏碁相信，只有不留一手，企業才能生生不息，中國傳統的經營觀念就是留一手，所以無法不斷進步，組織不能生生不息的發展。

宏碁採用分散式管理，分散式管理的問題很大，但是外在客觀環境變化多端，如果能做好分散式管理一定最有效。

　　要做好分散式管理，挑戰很大。我們先有分散式管理的理念，至於會產生的問題就再來想辦法克服。如果沒有分散式管理的理念，今天用這個方法吃了虧，明天就變成一把抓。

▋最高境界是群龍無首

　　分散式管理不只是群龍無首，還要享受大權旁落。社會上大家都是要掌權，有權力好做事，我不斷強調大權旁落的好處，提出「龍夢欲成真，群龍先無首」。

　　龍本來就有智慧了，為什麼還需要首呢？組織最好的「群龍之首」，就是無形的願景、理念。沒有人指揮這群龍，它自然就有個方向。後來我發現，群龍無首是《易經》的最高境界。

如何形成企業策略

■評估外在趨勢及衍生涵義。　　■定義願景與使命。　　■設定目標。　　■找出重要的成功因素。　　■SWOT分析。　　■發展策略。　　■擬定行動方案。

宏碁另外一個基本理念就是不斷考量「利益共同體」，團隊若沒有共同利益是不可行的，所以我們採行全員入股，與員工是長期合夥的關係。

▌集思廣益的策略會議

我要舉出一種非常有效的策略會議，從願景到行動方案整套的策略形成會議。

約在1988年時，我們從美國請了一個顧問，花了三個月的時間才弄出這個會議，事後發現效果不大，也就束之高閣。後來我當台北市電腦公會理事長時，請了一個IBM的顧問，幫我們為資訊產業做了兩天的策略會議，效果不錯。

事後，我們建立起一套程序，就算是半天的會議，也同樣有效。

策略會議的參與者是領導人與一級主管，大約十幾位；超過二十人就太多，只有三、五個則嫌少。在這個會議上，大家一起集思廣益，談談外界的大趨勢及趨勢代表的意義，並且設定一些直接有關的議題，慢慢形成企業未來的願景、任務、使命，結論愈簡單愈好，最好是一、兩句話。然後就要設定三年、五年、十年的目標，成功的要素是什麼？做SWOT的分析，擬定一些策略，最後就是採取行動方案。

每個流程裡，我們希望提出至少十種項目，經過大家投

票篩選剩下三、五個重要的項目。在決定之前,一定要盡量問:「還有沒有遺漏的項目?」這個過程頗能奏效。

▌宏碁的策略

　　鄉村包圍城市是宏碁很重要的策略。我一直強調,很多策略是從企業本質的弱點開始思考起,因為宏碁資源有限,鄉村包圍城市反而成為值得考量的策略。

　　很多企業最初在自己的利基都很成功,利基也是一種鄉村,問題是,企業不成長則已,如果要成長,若不是攻下很多鄉村,就要攻占城市。

　　但是,鄉村就意謂距離遙遠,如果要攻很多鄉村,就要有多元化管理的能力;如果要攻占城市主流戰場,則要具備組織戰的能力。

　　這些能力都不是剛創業切入某個利基就具備的,科學園區很多家在1980年代末期上市的公司,都是初期非常成功,之後就江河日下。

宏碁的策略

■鄉村包圍城市。　■內部創業。　■聯網組織。　■群龍計畫。　■全員品牌管理。

經營企業不能只攻一個鄉村，要就把所有鄉村都攻占下來；要不就打組織戰，不斷建立新的競爭力。

要不斷建立新利基時，透過內部創業的模式比較有效，它解決了多元化管理不同事業的困擾。

聯網組織則是基於宏碁分散式管理的經營理念，所以慢慢由主從架構轉為聯網組織。這個策略，雖是肇始於我們的理念，但目的是因為客觀環境變化太快，為了追求速度、彈性、不斷再造所形成的組織模式。

每個策略既定之後，坐而言很容易，能否起而行才是關鍵。真正的差異不在講策略，而是如何有效執行策略，這時就需要有理念、願景來支撐這個策略有效執行。

群龍計畫也是一種策略，大家都說要訓練人才，宏碁在1990年訓練一百個總經理，1995年提出訓練兩百個總經理的計畫，當別家公司還在提群龍計畫時我們已遙遙領先，因為我們做這些策略累積了相當的時間。

我們提出的這麼多策略，最終都是在建立競爭障礙。企業在成功的過程裡，自然慢慢形成包袱，如果大企業沒有在經營過程裡建立競爭障礙的話，絕對是輸定了。

▌向軟體事業發展

三年前，宏碁感覺到軟體事業愈形重要，不但對宏碁重

要，對台灣、亞洲未來的競爭力都有影響，軟體就成為企業的一個方向，當時我們就進行了一次策略會議。

這次會議進行的時間還不到一天，我們提出「創造人性化位元」的願景。

在硬體方面，我們只要提五年的目標即可，軟體實在摸不著頭緒，也沒有信心，所以就畫了一個比較遠的餅，2010年要達成的目標。當時我們硬體事業的規模不小，軟體方面利潤幾乎是零，設定的目標，是在2010年三分之一的利潤，要來自軟體事業，六分之一的營收來自軟體。

經過SWOT以及大環境分析，得出不可能直接與美國競爭，就擬出三個方向：首先，是借重我們的優勢做搭配硬體的軟體，全世界做硬體的都在台灣，我們要做與硬體搭配的軟體，這樣才有優勢。

其次，是借重我們的地利，做華文的軟體內容，從台灣開始，推廣到東南亞，避免日、韓。

第三，就是做本地／區域的服務。本地／區域的定義，會隨著時間、條件有不同定義。有一天大陸也變成本地時，區域範圍就可以擴大。

這些是三年前宏碁尚未介入軟體事業前，就已經界定的方向，已經成為基本信念，不管做任何事情、下任何決策，都逃不出這個範圍。

我們要成立一百家公司，意謂著這些軟體公司都不大，

可能只有五十至一、兩百人，就很有競爭力了，這也是軟體
事業的特質。

■ 要伯樂也要千里馬

　　我們要任用四十歲以下的CEO，這當然引起很大爭論，
排除了很多候選競爭者，後來就改為「人老心不老」也可
以。我認為，四十歲以上的人當伯樂就好了，不要當千里
馬。因為要成立一百家公司，需要一堆伯樂與千里馬。

　　軟體事業所需要的企業文化，正是宏碁所長，宏碁得以
發揮網路組織、分散式管理的特質。其他企業如果開同樣的
策略會議，得出的結論，絕對與宏碁大異其趣。尤其，宏碁
的願景、策略，是達到所設定的使命、目標最有效的方法。

　　我同意，宏碁本來就具備強勢的企業文化。

　　我願意為了軟體事業做改變，如果沒有這樣結論，大家
都不敢動，因為宏碁的企業文化會形成物以類聚，如果沒有
同樣的價值觀，在這個組織裡就會覺得格格不入，即使是個
人才也不會留太久。

　　這種人才可能可以為宏碁未來開拓很多業務機會，但是
他與原有的企業文化格格不入，所以我們認為要改變原有的
企業文化。

　　至於對軟體事業的投資，在硬體事業裡面，投資是

以百億為單位，為此我們馬上成立一億元新台幣的軟體基金，受到台灣社會極大重視。2000年4月宏碁推出「e-life show」，自我定位為「網路生活的推手」，所有企業體全部朝此方向調整。

小投資，大收穫

這個軟體策略會議是非常小的投資，一天不到的時間，二十幾個人產生了一、兩張紙的結論。

在這個方向下，一年比一年更清楚、具體，更重要的是，進度大幅超前，恐怕在2005年時，就會有一百家公司，希望也能為企業創造重要的利潤。除了少數一、兩家公司，大部分的軟體公司CEO都在四十歲以下，甚至有三十歲以下的CEO。

事實上，宏碁現在主要的營業額還是來自個人電腦，但

何謂企業文化

■企業價值系統。　　■無形的企業基礎架構。
■深厚的文化可有效發展成功的企業。　　■口號有助於溝通。　　■典範很重要。　　■領導者扮演關鍵角色。　　■沒有文化也是一種企業文化。

是利潤已經低於50％以下，宏碁已在轉型。

我們在擬定軟體策略時，雖然網際網路已經發展，但仍不盛行，直到這一、兩年才出現熱潮，使得我們的軟體事業腳步加快。

也因為三年前有這個軟體的願景，使得宏碁能抓住網路熱潮的機會，同時發揮集團雄厚的資源，做比較好的布局。1997年～1998年之際，我們在上海建立軟體中心，目的也是培養各種軟體的人才。

■ 何謂企業文化

企業文化是一種價值觀，是企業無形的基礎。

企業要有效傳達其價值觀，當然要藉助於口號，但最重要的還是要有一些行動的典範。企業文化的塑造，領導者當然扮演最主要的角色。

很多公司沒有企業文化，沒有文化也是一種企業文化，代表的意思就是無效。我相信，企業若沒有塑造企業文化，的確有短期成功的可能，但絕對無法長期成功。

曾有一項統計，台灣企業平均壽命是七年，台灣還有許多像植物人的「植物企業」，雖然存在但並無意義，企業要有生命活力，一定要有信念、價值觀、文化。

企業文化從小培育

想要塑造有效的企業文化，最好從組織還小的時候就開始，透過一些口號不斷闡述，再搭配一些故事。每個人的行為要和企業文化闡釋的意義相符，要不斷溝通，形成共識，還要激勵、表揚有企業價值觀的員工。

我最早提出來的理念是人性本善，也是我相信的價值觀（見圖10-1）。這個理念，在人性本惡的客觀大環境裡，並不那麼有利，但是在組織還小的時候，比較容易建立。我每天上班，一、二十個同事關在公寓裡面，天天對他們「洗腦」。

隨波逐流的企業文化就是沒有文化，企業沒有強勢文化就會受外界影響，迷失自己。

宏碁在美國的公司就沒有文化，因為他們受外界影響太大，他們的價值觀就是一般美國企業的想法，抱持這樣的價值觀要開拓宏碁業務，不但無法發揮宏碁的特色、優勢，反而暴露了弱點。

如何培育企業文化

■最好在組織還很小的時候開始。　■口號、談話、故事。　■言行相符。　■溝通與共識。　■激勵員工。

圖10-1　宏碁的企業文化

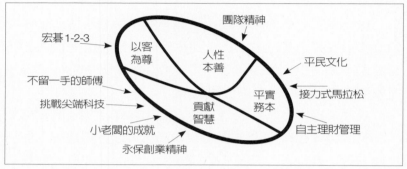

宏碁後來發展出平民文化的理念，強調的是接力式馬拉松、小老闆的成就，希望挑戰尖端科技，強調財務要獨立自主，自有資金比例一定要很高。

▌企業文化要有長期競爭力

1980年中期，宏碁人湊在一起，發展出公司十六字箴言：「人性本善，平實務本，貢獻智慧，以客為尊」。以前，集團內一直要套我的答案：「到底是生產掛帥，還是研發掛帥？」後來我回答：「智慧掛帥。」在這過程中，我不斷傳達這樣的價值觀。

企業文化和競爭力大有關係（見圖10-2）。

圖10-2　宏碁企業文化與競爭力的關係

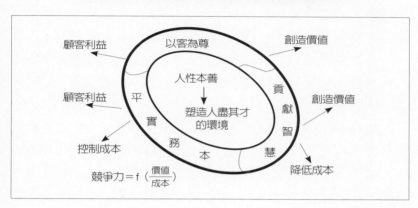

人性本善的理念，塑造出人盡其才的客觀環境；以客為尊，是替顧客思考，考慮創造價值或客戶的利益，這也是我競爭力公式中的分子。

貢獻智慧，一方面是創造價值，一方面也是降低成本；平實務本，則是考量客戶利益，同時控制成本。企業文化能不能持久，一定和它長期發揮的競爭力有關。

建立企業文化的挑戰

建立企業文化，實在不易。

1990年，我邀請美國麥肯錫顧問公司到宏碁進行診斷，

因為當時公司業績開始下滑。他們指出，企業文化要有效，一定是在企業發展順利的時候；業績不好，再好的企業文化都沒有說服力。

在企業業績大好賺錢的時候，可以趁勢強調這種企業文化是對的；當然，成功時也要預防短期、容易誤導的企業文化跑出來。

組織成長快速時，也很難形成企業文化，因為企業文化是經過時間慢慢融合而成。就好像燒煤炭爐，下面的火很旺，如果一下子加進很多煤炭，火就會熄滅；陸續慢慢加入煤炭，火才會愈來愈旺。企業文化也是如此，組織成長太快，非常不利於塑造企業文化。

企業生意逐漸多角化後，企業文化也很難塑造。國內很多傳統產業要跨入電子業就很難塑造企業文化。

企業文化無法應用到所有的業務，家電業要進入電子業，原有的企業文化都將失靈。海外的公司，天高皇帝遠，也很難塑造企業文化。高級主管不穩定，中階主管不重視，也很難傳遞企業文化。

■ 落實文化才能常保卓越

在每個轉折點上，都要檢討是否需要新願景，是否要進行調整。領導者在願景與理念形成上，扮演重要的角色。

企業文化就像行銷能力、製造能力，是企業的核心競爭力，而且是長遠的、影響廣泛的要素，是一切的基礎。

如果有願景，所有人的努力都可以往相同的方向；有理念，做事就可以持久、持續；有很好的企業文化，對人也有鼓舞作用。

不論中外，卓越的公司，其企業文化都有共通的原則，但會隨著業務、產業、領導者的不同，而有不同的風格。

《追求卓越》一書，曾分析美國成功的企業，歸類出這些卓越企業的文化，都大同小異。有趣的是，過了八年之後，作者發現，大部分的企業都不再卓越了，因為客觀環境改變，領導者也變了。

企業文化要完全與領導者與各階層主管結合，因為企業活動瞬息萬變，高階主管的行為如果與願景、理念、文化不符，所有努力皆付諸流水。問題的癥結就在於要行動，不能流於清談。

建立企業文化的挑戰

- ■當業績表現不佳的時候。　■組織成長太快。
- ■生意多元化。　■海外公司較難建立。
- ■最高主管與幹部不夠穩定。　■中層主管不夠積極。

　　經營企業時，如何把正確的價值觀保留在公司內，是身為主管者最重要的任務之一；不重視這些而能成功的企業，實在是異數。

篩選對經營有效的文化

問：企業在海外的公司，如何在融入當地的文化同時，仍保有母公司的文化？

答：以入境隨俗的角度來看，企業到海外去，本來就應當入境隨俗。只是，隨俗，就表示沒有自己的人格嗎？

隨俗是指尊重當地的風俗習慣，但現在最大的問題是，企業在國際化之後並沒有塑造自己的文化。

美國的宏碁文化可以和宏碁不同，美國宏碁之所以沒有文化，是因為它沒有篩選、精挑適合美國宏碁應該有的價值觀，只是將外界浮泛的價值觀生吞活剝進去，隨波逐流。

先不談國外，就以在台灣經營企業來說，現在的流俗是回扣文化，如果不自知，這種文化自然會滲入組織，成為正常文化。

經營企業應該篩選對經營有效的文化，透過長時間

溝通，形成共識，變成多數人認同的價值觀。

美國宏碁無法形成自己文化有幾個原因：首先是成功時成長太快，錯失培養企業文化的好時機；第二，員工受外界影響，比受台灣母公司文化的影響還要多；第三，美國宏碁發展不成功時，員工更是人云亦云，希望引進美國成功企業的文化。

這些，都不是我們客觀條件可以忍受的；再加上母公司沒有足夠的主導性，能強制宣導有效成功的文化價值觀。

我一再倡言，企業文化強勢是因為有效且成功，能夠在當地競爭。二十幾年前，我提倡的窮小子文化、不留一手、人性本善，也是因為打贏了才有效，否則不可能變成宏碁的文化。

企業文化要長期累積，即使要開發一塊處女地，也需要創業精神的文化。

分享智慧，不留一手

問：員工之間關於升遷的競爭，會不會影響宏碁不留一手的文化？

答：當然要想辦法將不留一手的文化與升遷制度結合。例如，考慮升遷時會顧及之後的接班人，因此被升遷者一定要不留一手的往下傳。挑選擔當大任的領導者，我們會選擇下面人才較多的主管。如果相信這樣的文化，萬一其中有盲點，一定要透過制度來補充。

人處在競爭環境，難免擔憂於己不利，可能會保留一手，唯有透過企業文化，在開會、合作時，一方先毫無保留，自然會引導另一方也不留一手。

最近，宏碁的企業文化已經將「以客為尊」修改為「唯客思維」，「貢獻智慧」修正為「分享智慧」，層次有所不同。

我們公司內部有一套資訊系統、流程系統，如果員工離職，新人可以透過這套系統順利接手，但是這些都是知識，不留一手傳的是智慧，不只是知識。

由上而下傳達願景

問：願景是由上而下還是由下而上形成比較好？

答：如果由下而上，眾說紛紜，那麼多意見要如何有效形成？

在開策略會議提願景時，是由CEO帶領一級主管一起討論，這些人代表各個功能、階層，也了解下面員工的想法，他們從大趨勢、客戶、員工各個面向討論出一個願景，然後由上而下慢慢展開、不斷傳達。

宏碁的企業文化當然是由我主導，但我是取得很多共識後，才得出這些理念。

我心中想的，永遠是社會、他人，提出「龍夢成真」時，我已經深深體會年輕員工在想什麼，他們希望有自己的事業在國際舞台揚眉吐氣，我不必問每一個人才知道這樣的訊息，已能充分掌握。身為領導者，如果對部屬的心態、需求不了解，幾乎就沒有希望。

師出有名

做決策是在上位者的責任，但在做出決策前，需已充分掌握下面的意見，各級主管代表不同功能、聲音，經過集思廣益，形成共識，在推動這個願景、策略時，也是師出有名。

1994年時，我提出「21 in 21」、「2000 in 2000」（2000年兩千億）的目標，這不是隨便喊數字，代表的

是大家都有自己的公司，可以獨立上市。

　　當然，在傳達願景時，應該要有回饋機制，有誤導就要做澄清。

在企業成功之際塑造文化

　　問：宏碁培養、延攬人才的策略是什麼？

　　答：企業文化的塑造，要利用成功的時候；要吸引人才，也要趁企業大展鴻圖之際。以我們過去的經驗，重金邀約的人才都不是很成功，因為他的出發點不是長期永續的思考模式。我們未來要用不靠金錢、長期、永續的方法訓練人才，塑造企業文化。

　　我記得在一年前，所有與網際網路事業有關的CEO在渴望園區開會，我接受他們所提的網路文化，但我也強勢的說服他們，就算在網路這樣的客觀環境裡，宏碁文化的一些特質一定要把握住。

　　至於培養人才，我的經驗、理念累積出的講義，希望透過科技、網路的方法讓同仁吸收。在第一次群龍計畫時，我上課講到喉嚨差一點要開刀，到全世界各事業處去講我的生意經。

我講的東西，亞洲員工吸收了、歐美員工被說服了，但我一離開，他們疏於練習，就束之高閣。我談的大概都是願景、理念、策略等這些比較形而上的東西，我認為這些是做領導者、主管最關鍵的能力。

空降資深人員姿態要低

問：如何挑選適合公司企業文化的高階人才？如何讓他融入原有的企業文化之中？

答：這很不容易。美國公司就沒有這種問題，反正換CEO，把舊的丟掉，聽命於新領導就對了。

根據宏碁的經驗，從外界空降而來的資深人員盡量要低姿態，要有相當時間不是由他一人獨立作戰，他可以負責很多事情，但會有人從旁協助他融入企業文化。

但是，企業文化是無形的東西，我們一方面要抓住原則，一方面又鼓勵差異化，因為領導者、產業、事業都不同，就會出現不同的文化。原則就是吾道一以貫之，宏碁有宏碁之道，新進人員要抓對宏碁之道，需要一段時間。

所以在宏碁，一進來很難有重大發揮，都要經過

一段時間才能獨挑大梁。以明碁為例，子公司都是明碁
派人過去當總經理，協助外界進來的資深副總經理了解
企業文化。宏電就有幾個子公司讓外面進來的人獨立作
業，吃了很多苦。

以大併大，很難成功

問：目前盛行企業購併，如何將自己的文化注入購
併的公司？

答：想購併別人，自己要很強，就好像火很旺，可
以把外加進來的炭燒掉。以大併大，尤其在變動快速的
資訊產業，幾乎沒有成功的案例。企業集團若沒有同樣
的企業文化，是無法妥善經營的。

以美國思科公司為例，因為它夠大，就算購併許多
家公司也能很快消化。它消化這些公司，有兩個方法：
一是資訊系統完全要改成思科的系統；另外一個是企業
文化，派一批人進駐強勢改變文化，融合成思科的企業
文化。

企業文化，最重要的是要大、強勢，才能「吃掉」
別人，美國宏碁就是外面的文化主導了宏碁文化，這就

行不通了。

　　競爭愈激烈、規模愈大、變化愈大，都需要更強勢的願景、企業文化、理念做為打仗的基礎。

　　但是，有很多企業在創業時面對的環境並非如此激烈，所以沒有企業文化也可以成功。要繼續成功有兩個選擇：一是建立願景、理念、策略能力；二是在市場上挑不需要具備這些能力就可以活下去的東西，這樣做是可以存活，但一定沒沒無聞。

第十一章

虛擬夢幻團隊

組織是一門大學問，
許多事要靠組織才能達成任務，
企業處在變化多端的現代社會，
任務愈來愈多元，組織也要隨之調整，
虛擬夢幻團隊的概念，
就是與組織、人力開發有關。

組織是一門大學問，許多事情都要靠組織才能達成任務。不同的任務需要不同特質的組織，才能得到充分發揮。組織要勝任這些任務，需要訓練人才，並不斷開發新人力。

企業處在變化多端的現代社會，任務愈來愈多元，組織也不斷隨之調整。我提出虛擬夢幻團隊的概念，都與組織、人力開發有關。

■ 組織型態的轉變

組織是固定或彈性，與任務有關。

如果是比較固定的任務，做的事情較重複，需要紀律，採用固定組織比較合宜；但如果任務不斷變化，需要創新，掌握新機會，就必須採用彈性的組織。

傳統層層架構的組織，本身就比較固定，因為牽涉範圍廣，若是彈性的組織，困難度就會增高。

軍隊就是多層級的組織，從三軍統帥、總司令一直到小士兵，中間不知道有多少層級。軍隊的任務是一個口令一個動作，行動要一致，不容許下面有自己的想法。這樣的組織管理相對單純，平時需要很多訓練，甚至退伍以後還有定期點召，這些都是訓練。

企業裡的生產單位也類似這樣的組織，層級較多，因為生產工作需要紀律，也比較重複。

　　和層層架構相對的是扁平化組織，扁平化是管理學上很重要的思考模式，因為任務始終在變，事情要往下傳就要不斷溝通。但是，一件事情每經過一層都會打折扣、失真，失去原來的重心。

▍讓「變」成為常態

　　我很喜歡變，宏碁的同仁常常開我玩笑，說我是龍頭，只要龍頭一轉動，龍尾就跟不上，但事情傳到龍尾時，我又變了。

　　1990年宏碁進行「天蠶變」，當時公司業績在前十年之間成長了一千多倍，但因為缺乏經驗，組織愈來愈龐大形成許多層級，「天蠶變」要做的第一件事就是將組織扁平化，從七層減少為五層。

　　過去的組織架構，屬於中央集權式，宏碁則強調分散式管理，層層負責，從傳統疊床架屋的架構，轉為網路型組織。

　　組織的型態與外在環境息息相關，從工業社會進步到資訊社會，現在又轉進知識社會，因為任務多變，從中央集權慢慢轉為充分授權，由層層架構的組織變為網路型組織。

　　我認為，產業未來需求是朝民主、授權的方向走，當然也有很多人持不同見解，認為獨裁更有效。

　　組織到底該用法治還是人治？依我之見，如果治的是固

定、重複性事務，則用法治，例如：人員評估、升遷等。組織愈進步，事情也愈多，日常重複的事情透過法治的運作，應該能收快速之效。

法治有些類似人治的化身，是由大家同意的方向變為一種原則。但是組織應該要保留人治空間，不斷透過創新，往前推動。完全法治或完全人治的組織，都有缺陷。完全人治，不靠法治，做不了更多事情。

我曾經提過，網路協定就是法治，在這個規則下可以變出許多花樣，做不同的事情，拼湊成多采多姿的虛擬世界。

不斷成長才能永續發展

組織要永續發展，當然得不斷成長，思考如何成為成長性的組織，組織沒有成長，很難維持好的士氣。組織一定要有很好的新陳代謝制度，如果太慢退休就會產生問題。

組織成長是為了配合人的成長，人不成長就沒有士氣，也無法安定。組織之所以需要彈性，是因為客觀環境千變萬化，非彈性不足以應變。

組織內的學習有兩種，一種是每個人透過學習成長，另外一種是多數人一起學習，發展出組織的做法、流程。組織也要容易進行再造，因為再造是一種常態。此外，組織的創業精神很重要，保有創業精神才讓組織無中生有，不斷有生

命力。

要引導出成長性組織，領導者當然要有意願、想法，最好還要有一個願景。領導者的願景包含兩個方向：一個是人力如何成長，要有育才、留才、募才的策略。宏碁剛開始時，我沒錢也沒資源，無法給員工金錢，只好給他們「夢」，想辦法用員工入股留才。

第二個方向是組織應變之道，組織非變不可，領導者如果有願景，就會考慮好應變之道。領導者在設立組織之際，就應該建立好應變的能力。

現在，許多組織很難改變就在於建立之初沒考慮好，比如說，當初行政院組織為八部二會，就很難變通，要修改還必須經過立法院。

訓練人才獨當一面

依據我個人的經驗，組織內的人才訓練，最好透過授權、替員工繳學費的方法才符合實際。

永續性組織的特質

■成長導向。　　■彈性。　　■學習性。
■能不斷再造。　　■內部創業。

　　內部創業就是讓人才獨當一面，唯有人才可以獨當一面，情勢才能完全改觀，層次立刻提升。我訓練人才，都是以獨當一面做為考量。

　　授權很重要，更重要的是領導者要不斷思考投資於未來。我寫這本書時，想了一個口號「上兆的經驗，百億的教訓」，宏碁集團二十四年加起來，有數兆的經驗，繳了百億的學費。

　　我投資未來，投入百億訓練我個人，累積了很多經驗、看法，因而可以應付公司成長的需要。

　　台灣很多中小企業發展陷入瓶頸，我想最關鍵的原因是老闆沒有投資在自己身上。我們也常常聽到大型企業主抱怨人才青黃不接，中層幹部流失，這就是沒有針對一層層的人才做未來投資。我所謂的投資不只是上課，更重要的是授權，讓他獨當一面。

▓ 建立成長導向組織的策略

　　企業不斷再造，是一種常態，成功時需要再造，失敗時更要再造。再造時，需要開放溝通的客觀環境，聯網組織較有彈性，容易進行再造，溝通時也較易形成共識。

　　相對於層層架構的組織，聯網組織進行再造時，影響層面也比較小。

為組織再造進行溝通時，必須向成員說明為什麼要再造、新的方向是什麼、要採取哪些行動；更重要的是，要考慮絕大多數人的共同利益，否則成員容易找藉口阻礙再造。

■ 唯一不變就是變

不斷學習、變化，是企業面對客觀環境時必要的能力。宏碁有句名言：「唯一不變的就是變」，這當然和組織的領導者有關，每個階層的領導人都應該對再造有些想法。

在資訊產業當二十四年的CEO，不是件好差事，除了我以外，全世界不做第二人想，真正關鍵有三。

一是，組織與我都保持住原有的創業精神。

記得在宏碁十週年時我還對所有同仁說，我們現在才開始要創業，當時宏碁的規模在資訊界已是全台灣最大。

我不斷強調宏碁才開始創業，但這句話不靈光，效果有限，因為公司明明就很大，怎麼說才開始創業？所以我們乾

建立成長導向組織的策略

■領導者擁有願景。　　■人才能在工作中養成。
■充分授權。　　■內部創業。　　■投資於未來。

脆把公司割成幾塊，從頭來過，不斷內部創業，無中生有。

二是，要承擔風險，一般大公司都不願意承擔風險，這樣一來企業就無法開創。我們鼓勵大家承擔風險，從中有效學習。

三是，我們雖然強調不斷改變，但有很多基本理念從第一天到現在都沒有改變過。抓住一些不變的原則，就可以不斷改變。

■ 從貿易與顧問到自行研發製造

公司初成立時，希望自美國引進微處理機的技術在台灣推廣。由於資源非常有限，所以只做貿易、顧問，替廠商設計產品，而且只做台灣的市場。

當時，我們已開始採行分散式管理，最基本的理念就在這個時間出現，台中、高雄、美國分公司，都是當地創業者的股份占60％、總部占40％。

這有點像分工整合的概念，我們在這個階段每年營業額成長一倍，更重要的是，我們以有限資源，在賺錢的同時建立更尖端的微處理機技術，以及高科技行銷經驗。

1981年，公司正式進入科學園區，做自己的研究發展、製造，以外銷為導向。

那時（1980年之前），我們代理zilog，做得比英特爾還

要好，全世界只有台灣做得到。但是，做得再好有什麼用？
市場只有台灣這麼大，所以我們挑一些產品做外銷，借重更
廣大的市場。

■ 快速發展，人才支絀

　　因為公司快速發展，人才就顯得左支右絀；但另一方
面，台中、高雄分公司的成長低於預期，人才沒有發揮的空
間，於是就合併所有人才，將台中、高雄的人才都變成台北
的股東，同時調到台北當幹部，另派較資淺的人負責中南
部，或從當地擢升。

　　這時，外面的機會遠超過台灣的機會，需要很多人才，
組織就因勢調整。

　　另外，在公司股票上市前，除了宏碁科技，我們還投資
了科學園區的宏碁電腦，以及在桃園成立明碁電腦。員工投
資在這三家公司的時間是相同的，所以表面上是三家公司，

建立再造性組織的策略

■網路型組織。　　■開放式溝通。　　■安排共
同利益。　　■持斷不斷的學習與改變。　　■有
願景的領導者。

其實是當一家公司在運作。

人才的目標、利益一致，因此很容易流動，所有宏碁、明碁的人才都是從宏科出來的。早期宏科若沒有用投資新公司這種方法讓人才流動，今天的宏碁集團，可能就是不一樣的面貌。

俗語說：「子比父貴，孫比子貴。」一代比一代強，宏碁就是如此。因為條件好，下一代創業時看到的機會更大。那時宏碁高度成長，公司前十年的成長每年都是一倍，二的十次方，剛好是一千倍。

SBU與RBU的挑戰

1988年公司股票上市後，就積極進行國際化運籌。宏碁做外銷時，產品已經到世界各地，但是，僅有產品外銷並不是國際化。

所謂國際化，是要有人員派駐海外，企業經營的功能，如：行銷、配銷、庫存、製造等等，都要到國際。當時，我特別禮聘IBM的劉英武回國，由他引進當時跨國企業組織的概念。

因為組織太大，要採用SBU、RBU的方式，SBU管研發、製造，RBU管行銷。SBU、RBU雖屬同一家公司，卻是兩個不同的利潤中心，對總部而言是兩個平行單位。

這個模式，發展到後來，我發現，兩個單位做的雖是同一件事情，SBU 做前端，RBU 做後端，但是兩造之間很難建立共同利益，任務也無法有效集中，所以成長逐漸趨緩。

我事後檢討，大組織的目標固然很大，但對各個單位來說都無關緊要、很模糊；更麻煩的是利益，大組織的利益不見得和每個人直接相關。

當時就發現，在最後算總帳時，賺錢的單位和不賺錢的單位誘因差異不大，造成公司首度虧損，甚至有一、兩年要賣地，才勉強度過難關。

■ 再造成功不等於從此無憂

1992 年，公司進行再造，推出速食店模式，常常在市場上推出新鮮的產品。這個方法後來出了問題，因為宏碁在世界各地設了三十個站，每一站都需要專業人員有效做好庫存管理。

個人電腦最關鍵的就是物料管理，管理好壞影響太大，需要專業，但我們無法在每個據點都有好人才。

速食店模式本來就是希望降低庫存，處理不好反而造成庫存太多，就取消了這個模式。

這時組織也產生了主從架構，我們鼓勵主、從都是獨立個體，最終都能上市，於是推出二十一世紀有二十一家上市

公司的計畫。

原本平緩的成長，突然竄升到50％甚至是80％的成長，後來也慢慢遲緩下來。SBU、RBU的架構產生問題，每個RBU各自為政，總部對產品、行銷都沒有全球策略，所以又要進行再再造。

GBU負全責

1999年，因為組織愈來愈大，開始形成許多次集團，現在的宏碁集團是虛擬的，以宏電、明電、宏科、宏智、宏網五個次集團做為指揮中心。

所有的SBU、RBU，整合成一個GBU，本來是一刀分成一前一後，現在這一刀是橫切成一層一層，上、中、下游都是完整的，以端對端的方式運作，每個公司同樣都是獨立的個體。以橫切方式，竟然也可以砍出百個、千個獨立的GBU。

這樣的組織，就不適用主從架構，自然而然發展成iO聯網組織。GBU中的「global」，並非地理上的意義，而是必須負全責，對公司的成敗毫無藉口。

公司組織從只有家族成員的傳統集團，加入了加盟成員、創投成員，我已經感受到，2000年比1999年更好，預期將有很高的成長與高利潤。

我重複強調，科技與產品的思考點要全球化，談行銷、服務則要考慮在地化。

　　在考慮產品、技術有沒有競爭力，比較的基礎是全球性的；談服務、行銷，眼光就不應該往外看，一定要在當地搶占「地頭蛇」的地位，否則遲早會出問題。

■ 培養永續成長領導者

　　組織要成長，當然要不斷培養領導者。領導者需要自我投資，培養領導者也需要投資。所謂的成長不只是技術上的成長，範圍包羅萬象，尤其愈高階的領導者，最需要的就是用人方面的成長。

　　領導者要有一個重要的特質，就是得容得下比自己更強的人。領導者應包容意見、風格都與己不同的人。訓練領導者當然要賦予他新任務，以我為例，沒有人培養我，我就培

培養永續成長領導者

■領導者應該先培養個人的成長。　■從新任務的挑戰中，不斷學習。　■從經驗中學習、成長。　■不斷承擔負擔得起的風險。　■不留一手的領導。

養自己，給自己新任務、挑戰，從經驗中成長。

所謂「不入虎穴，焉得虎子」，領導者也要不斷承擔風險，不承擔風險就無法有效突破。

培養人才有個要件，那就是公司得要有不留一手的企業文化。不留一手有兩個層次，一個是在上位者親身示範，形成公司的文化；另外，如果不是不留一手的環境，三人行必有我師，也是可以學習，互相引導不留一手。

成功領導者有幾個特質，首要是肯訓練人。對我而言，訓練人可能比把事情做好還要重要。訓練領導者就是要不斷授權，幫助他達成任務。

平常不斷溝通，願景、理念、策略都是領導者很重要的工作，只能透過長期相處才能了解。尤其是公司追求的使命，要讓他有成就感、參與感；其中，最實在的東西就是權力、金錢，讓他有權力做決策，物質、精神、名與利都要給他，讓他成長。

領導者還必須專心在關鍵的業務，非關鍵業務不是授權他人就是將之法治化，要讓自己的精力專注於關鍵的、新的事務。

長期規劃培養領導者

一般企業會產生的問題，是只相信親朋好友，沒有長

期計畫培養新領導者，甚至不願投資於個人成長。買豪華轎車、蓋氣派辦公室、賺更多錢不是成長，成長是不斷有新的挑戰、新的任務，要承擔風險。

很多企業都是稍微建立基礎後，只願意做熟悉、重複的東西，不願介入新環境，迎接新挑戰。

做重複的東西，初期有利，之後就開始供過於求，一定不利。同樣東西做久了，到最後投資報酬率會跟著遞減。企業若不重視培養人才，常常發現培養半天的同仁都離職、跟自己打對台，留下來的盡是庸碌之徒。

培養接班者，是企業很重要的工作，接班者不是一天、兩天就可以培養出來，要長期、按部就班的思考。

但是，美國企業的接班方式與我的想法南轅北轍，美國人才多，總統、CEO都可以變換、借將。我的想法，在亞洲比較有用，因為文化、價值觀與美國不同。

為了降低風險，企業要培養一群可以準備接班的候選人。宏碁次集團現在當家的領導人，在宏碁發展過程中，和

成功領導者的特質

■訓練更多領導人。　　■付託／授權。　　■開放的溝通。　　■使命、激勵、誘因。　　■專注於關鍵的地方。

他們有同樣條件、能力旗鼓相當的人至少十個以上,棒子交給誰差不了太多。美國的組織就是如此,有能力位居要津的人很多。

最重要的是,企業日常工作就是在做接班的安排,每天的工作都是在進行接班。

領導者要把自己的理念、對事情的看法,不斷傳遞給可能的接班者。這不僅要在公司狀況好的時候進行,更要在公司步入困境之際做,大家才能形成更堅定的默契、共識。

要留下好人才,就要不斷給他一些新任務,讓他作主,有歸屬感、成就感,只給金錢很難留住人才。

■ 未來趨勢與無形價值

二十一世紀是科技的世紀,領導者如果不了解科技當然會出問題。所謂的了解,不是像專家那樣專精深入,而是能掌握科技特質、未來趨勢的大方向。

領導者絕對不能怕科技,高科技公司的CEO很少由非科技專業出身的人擔綱,理由是高科技需要投資於未來,比較沒有重複的東西,要不斷了解新的發展趨勢。我認為大學念什麼科系並非關鍵,重要的是畢業後的努力。

領導者一定要扮演好自己的角色,其角色是做示範,他也可能是個配合者,配合得愈好,會讓組織更有效運作。領

導者對紀律、創新都要並重，要有所平衡，最重要的是，未來是無形、知識的時代，領導者要了解無形的東西值多少。

這種價值判斷很困難，但是領導者一定要有這種本領，算出看不見的東西的價值、影響。

培養人才需要三項條件：時間、金錢與當事人的經歷。

當然，公司也需要提供好的客觀環境，這也需要時間、金錢，絕非短時間內一蹴可幾。iO聯網組織較自然、永續，但卻不好管理，更要享受大權旁落，自然不易為多數領導者接受。不同組織有不同的型態，和生意特質、領導者風格都有關係。

組織需要不斷改造，內部創業是使得組織不斷有活力、不斷成長的重要關鍵。

內部創業有許多不同模式，成立新公司、新利潤中心是內部創業，未來時代真實與虛擬相互交融，實體公司、虛擬公司也都是公司，可能都算是內部創業。

問題與討論

德才容兼具

問：領導者應有德、有才、有容，這三種特質在你心中的優先順序是怎樣？

答：沒有絕對的答案。如果從長期來看，這三者都要具備。

隨時間改變、產業不同、團隊不同，這三項特質，在某段時間，可能有才最重要；在其他時間，則可能是以德服人、有容更重要。

領導者要具備這三個特質，而且是在一定水準之上，否則短期或能成功，長期絕對有問題，因為打仗就一定要具備這三項武器，缺哪一個，都是致命罩門。

領導者當然要兼顧情理法，以我而言，我很重情，但為公司的事情，我是六親不認。

在公司，我罵內人罵得最凶，理由很簡單，情是最容易找藉口的，所以我只好都不認，她拿我也沒辦法；在我身邊的人，升遷得比較慢，是為了顧大局。

　　當然，我也不能都沒有人情，所以會再用其他的方式來彌補。

　　還有一點很重要，當你要「六親不認」時，先預期別人會怎麼想，如果別人想的是你不在乎的事情，就放手去做；如果在乎，就不要做。

　　問：在你身邊的人升遷較慢，你要如何留住他們？

　　答：所以我留不住啊，都跑掉了，我總部沒有人，大家都到外面去打仗了。

　　這是一種犧牲，但是他到外面闖天下，也是為我做事，雖然距離遠，還是在建功，對我還是有幫助。

　　領導者如果只信任身邊的人，一定會出問題，領導者要信任所有的人。

　　譬如說，我內人跟我講什麼，我先暫不相信，接下來再評估可信度有多少。我們經常為此吵架，這是沒辦法的事情，因為愈相信親近的人，就愈容易有盲點。

用比自己強的人

　　問：領導者要用比自己強的人，但是在實際經營企業時，常常發現這些人自我膨脹，不容易與人相處、協

調，要如何處理？

答：只有願意用比自己強的人，自己才會更強。強有不同定義，是技術強、談判強還是身體強？用各方面都比自己強的人，有一點你一定比他強，就是他為你所用，你用人比他強。

我不斷鼓勵下面的人要比我強，因為我在他們這個年紀時，做的事情沒有他們多，只是我不斷往前走。如果讓比自己強的人胡作非為、自我膨脹，是自己管理有問題。

我一直強調，要有一堆接班人，不能讓一個人覺得他比別人都強。

領導者全心全意培養人才、不怕他比自己強、給他機會，基本上他一定會為你效命；如果有一天這個人才爬到你頭上，他也會禮遇你。

強者一定是壓不住的，領導者如果壓抑有才能的人，萬一他有機會成功，反而對你造成威脅。

問：宏碁集團的接班已經完成了嗎？

答：宏碁集團的接班工作，業已底定。

我已經把宏碁集團變成虛擬的了，沒有太多事情要做，我的工作很容易被取代，所有運作都在次集團。

集團將來是用委員會方式運作，大家輪值當主席，是一個團體來取代我，而非某個特定人士接棒。

我也認為，沒有必要由一個人來取代我，因為次集團是營運的重心。次集團的家長就是領導者，集團的大家長就像供人拜拜的神主牌，我已經是這樣了。

我思考這些問題時都是以自然法則、能夠生生不息的環境，來看待管理，讓企業能夠永續傳下去。我退休時，人家不理我也沒關係，不要去求「萬萬歲」。

宏碁集團與別人最大的不同就是太多元化，本質就需要很多領導者。

萬歲從來不萬歲

我希望，退休前能夠建立一種機制，將那些需要大家長才能決定的事情，盡量法治化，以後若發生爭端，是透過委員會解決或重新立法處理。

萬一有次集團要「鬧獨立」或不遵守法令，我也覺得無妨，因為股東大會如果這樣決議就只好接受，只要不打著宏碁的名號就好了。

公司的福祉最重要，不是幾個人想怎樣就能怎樣。

這就好像皇帝求不到萬萬歲，企業也求不到幾百年壽命，因為你過去了，下面的人要怎麼做，跟你又有什麼關係？當時的企業股東、員工的最大利益，才是最重要的，他們的利益、發展、前途，由他們決定，你為什麼要為他們決定？

什麼樣的人都可以培養

問：你在篩選經理人時有哪些標準，需不需要做三百六十度的全員評估？

答：宏碁正在實驗三百六十度的全員評估，但還不熟練，績效仍有待觀察。

我認為，什麼樣的人都可以培養，在共事的當下誠心溝通、充分交流彼此的經驗，一步步授予重任。對他逐漸有信心，彼此有默契就愈來愈授權，我都是這樣慢慢挑選經理人。

最重要的是，去影響下面的領導者，以比較會用人的方法繼續用人、訓練人才。

問：領導者是可以訓練的，還是與生俱來的？

答：我和張忠謀（台積電董事長）的見解恰好不

同，他認為領導者是與生俱來的，我認為領導者可以訓練出來，實際上這兩種見解都對。

領導者當然要有天分，問題是有天分的人不是百中選一，而是百中有十個，可能因為缺乏環境培養，另外九個有天分的人沒有當上領導者；如果有環境，這九個人也會是領導者。

因此，經營組織應該盡量提供環境，把所有有天分的人都當成領導者訓練，接班的人就很多。指定某個人接班，風險太大。

領導者最大的任務，就是訓練領導者，對組織最大的貢獻就在於此，如果把全部功夫、權力只傳給某一個人，恐非正確的判斷。

在接班的過程裡，政局的穩定是很重要的，需要時間準備。企業要有穩定的環境才比較好發展，當政局不穩定、董事會意見分歧、沒有領導重心，就會出現完全不同的局面。

夫妻創業，不「撈過界」

問：企業到大陸，訓練人才時要注意哪些部分？

　　答：最大的瓶頸是互信基礎薄弱，組織如果沒有互信基礎，幾乎無法有效運作。

　　台灣企業是有條件的一方，應該一步步多付出一些信心、慢慢授權，培養當地的人才。不培養當地人才，長期運作一定沒有太大效益。

　　問：夫妻一起創業有何利弊？

　　答：組織一定要有人作主，所以夫妻要先確定由誰作主。我看到很多企業的案例，夫妻兩人都作主，就出現很多問題。

　　我和內人的狀況是，她做事我絕對信得過，但是，如果不是我授權的範圍，她撈過界，我會很不高興，一定跟她吵架。

　　如果不把這件事情擺平，組織就無法管理。因為有兩個老闆，部屬就是看兩人臉色，在其中找空隙鑽。只要確立誰作主這件事，夫妻創業是有很大好處，因為兩人是一組團隊，彼此可以放心。

努力與世界平起平坐

　　問：宏碁是不斷發展的變形蟲組織，變形蟲雖然不

容易被消滅但卻很低等，你認為該怎樣自我提升？

　　答：我必須承認，宏碁是這個樣子，所以，我過去一直努力讓宏碁變得比較有組織性。

　　宏碁集團的每個個體，就像變形蟲，大家的使命是追求世界知名的宏碁，所以我們共用一個品牌。我們的目標，是「Acerware everywhere」，到處都有宏碁的東西。我們當然要讓這個變形蟲組織，變得更具世界水準、更高等，要在世界與其他跨國企業平起平坐。

　　宏碁有個特色，就是時間長、有耐性，美國有哪個CEO是為幾十年在著想？美國企業的壽命，都是很短暫的，我相信，iO聯網組織，未來有可能讓宏碁變成較高等的生物組織。

集團「優生學」

　　問：宏碁各個次集團不斷發展，彼此之間會不會搶小「碁」？

　　答：我覺得，更重要的是，宏碁集團要實施「優生學」。

　　我發現，現在集團生小碁的速度似乎太快了，應該

　　注重優生。既然生下小碁，就一定要養它，我們透過組織的運作，使得所有的小碁都能健全、有效的發展。

　　例如，有些不是很理想的公司也要上市，我們決策委員會就開會決議，集團所有要上市的公司都要經由委員會通過。

　　我們不只從績效來評估，還包括會計品質、管理誠信等基本信念，思考小碁應加強的地方。

　　到目前為止，次集團都有自己的領域，唯一不清楚的是和網路、創投有關的業務，大家都想做創投，不過宏碁集團以創投來賺錢、有「名分」的，只有宏智集團。但是，話說回來，我們也管不著「私生子」，萬一私生子很優秀，我們也願意讓它認祖歸宗，自然法則就是如此，集團之間當然也有協調。

第十二章

換人或換腦袋

再造是企業的常態，
再造不成功，可能影響企業存活。
組織再造，企業龍頭最重要，
不換龍頭，再造幾乎不可行，
就算不換人，也一定要換腦袋。

80年代末期，美國逐漸風行企業再造，或許是受到「日本第一」的刺激，美國企業開始自我檢討，提出一些再造的方法。

現在，我回顧這件事情時發現，再造是企業的常態，企業如果累積了許久沒有演進，發現整個狀況不對勁，目標出錯、做法失誤、組織架構出問題，這時就應該要「動刀」進行再造；尤其，企業成功得愈久，當發現錯誤需要再造時，所花費的功夫就愈大。

不幸的是，再造的成功機率不大，有時甚至再造了老半天卻一事無成，很多企業再造不成只好關門大吉。這就像是人的健康出了問題，手術不成功，可能會影響到存活。

為何需要再造

企業為什麼需要再造？一方面是客觀環境不斷在變，外在、內在環境都在改變；此外，從人生的意義來看，沒有挑戰、缺少變化，恐怕也很無聊，再造的挑戰其實饒多趣味。

客觀環境所指的不只有大環境，甚至做生意的型態都是客觀環境的一環。例如，網際網路讓所有產業的生意型態發生質變，就需要再造因應這個變化。企業為了不斷加強競爭力，甚至為了生存，都要進行再造。

在我接觸的領域裡，就看見三種產業的劇變。

　　第一，是個人電腦，由於有開放的標準，微軟、英特爾兩家公司出現之後，造成傳統電腦公司的經營模式，喪失競爭力，而產業也變成分工整合的模式，企業於是要進行一連串再造來應付這個客觀環境的改變。

　　第二是半導體，早期的半導體都是整合性元件製造（integrated device manufacturing, IDM），從頭做到尾。我三十年前開始進入這個產業，那時所有半導體公司只做封裝的生意，到現在才有晶圓代工出現。

　　第三種就是現在正在進行中的軟體，從傳統的設計軟體、套裝軟體，到現在正在發生、尚未成熟的網路軟體租賃服務（application software provider, ASP），軟體都是用租的，軟體的應用，就像用電、用水一樣，用多少就付多少。這樣的改變，也會使得產業產生連動變化。

　　再造不僅是變更組織的架構。日本人在90年代初期，看到美國企業進行再造，也喊出再造的口號。我每次到日本，總聽到日本企業嚷著要進行再造，不過效果卻不彰。

組織為何需要再造

■內、外在環境改變。　　■產業典範移轉。
■加強競爭力。　　■為了生存。　　■僅改變組織架構不足以解決問題。

▌ 再造的範圍

　　再造的範圍有多大？組織架構的改變是看得見的再造，就像政府架構中的精省，除了有形的架構，實際上還有無形的層次。

　　我在1997年之際，提出生生不息的競爭力說法，我認為，精省是屬於低層次、枝枝節節的再造，但是屬於理念性的再造，卻付之闕如。比如說，政府管理的出發理念，到底是人性本善抑或人性本惡？是中央極權還是地方分權？

　　這些比組織改造更上一層的無形理念，都缺乏嚴謹討論，大家是否都同意這些理念？這不只是口頭說說而已，而是再造的源頭。

　　生意重點的改變，也在再造範圍之內。例如，英特爾把DRAM的生意丟掉，這是一項重大的決策。德州儀器先捨棄電腦，後來又放棄DRAM，這兩個決策都與宏碁有關。在宏碁的再造藍圖裡，德儀的核心事業就是集中於數位訊號處理器（digital signal processor, DSP）上。

　　事業範圍的改變，是組織再造中最關鍵的一環。

　　投入某個產業，如果有些時候是做虛功，做愈多虧愈多，就得退出這塊市場，像宏碁從美國家用電腦市場上退下來，這是很重要的決策。

　　如果做的都是白工，意謂這個產業已經沒有牛肉，還要

不要繼續做，都要重新考量。

生意理念、流程的改變，也是再造的環節。宏碁進行再造時，提出「無功不受祿」、「未謀其事，不在其位」；也就是說，在這個流程裡如果沒有附加價值，就不需要再經過這一關，因此組織要變成網路型的組織。

資源重新分配也很重要，生意變了、組織調整了，投入的資源也要有所不同。比如說，宏碁要做數位服務生意、要進入關鍵性的零組件，就得把組織重兵及我個人的時間，多多部署在這些方向。

▋再造的策略與流程

組織再造，企業龍頭最重要，一定要更換。再造時如果不換龍頭，幾乎不可行；就算不換人，也一定要換腦袋。不換腦袋，理念、觀念無法改變，乾脆換人做做看。很多企業都是因為換了龍頭，再造才克竟全功。

組織再造的重點

■重整組織架構。　■改變事業重點。　■重新定義事業理念。　■重新設計事業流程。
■重新分配資源。

　　非換CEO不可是因為他會認為，以前做得很成功、又很用心，現在一定是環境不對、同仁不配合，否則為什麼做不出所以然？CEO若這樣想，就沒有辦法翻身。一些家族企業就是這樣換不了老闆，而使企業慢慢萎縮。

　　美國就沒有這種現象，CEO過去做得再好，經過董事會開會，還是會被撤換。

　　再造的過程很冗長，需要不斷溝通，取得共識，而且要由上而下、全企業性的進行再造。當然，形成最後的決策需要組織成員集思廣益，當再造理念確定之後，就應該由上而下開始溝通。

　　在這過程中，一定要考慮絕大多數人的共同利益。

　　再造要成功，一般都要化繁為簡，有些東西甚至可以丟掉不做。以宏碁的經驗，就是把一個大組織砍成十幾個小組織，各自為政，自己管理自己，化繁為簡才有機會專注。

　　再造的過程很長，最好先找出一些能立即顯現績效的事情，很快可有小成功，組織成員才會產生信心。

■ 再造成功的關鍵因素

　　再造成功的要素，首先是組織一定要有危機意識。一般而言，組織愈大危機意識愈薄弱，所以人少是很重要的。不過，人少的組織，其再造通常是不留痕跡，因為人少好溝

通，易形成共識，可以迅速改變，在這個過程中，也不會感覺到組織正在進行再造。

大組織再造時，一定要建立危機意識，要能接受改變，爭取多數員工的支持；更重要的是，高級主管要有承諾，行為、行動也要積極。

組織透過溝通、共識、安排共同利益，在還沒有具體行動之前，要讓成員有信心，就像病人在開刀前，要告知病因、如何處理，讓病人有信心動手術。

再造的過程實在太漫長了，所以要有一個清楚的藍圖，也要採取短期容易看到績效的措施，這就好像病人開刀後，如果要六個月才能恢復，經過三、四個星期還看不出恢復的跡象，病人就會喪失信心。

進行再造之前，一定要先了解再造。再造實在不容易，而且需要時間。宏碁在規模約十億美元時進行再造，大約為時三年，先前暖身就花了幾年，真正行動後也要一、兩年才

組織再造的策略與流程

■改變執行長的腦袋或更換執行長。　　■溝通與建立共識。　　■由上而下，全企業進行。
■安排共同利益。　　■將目標不明確的大組織架構，重整為許多個目標簡潔、清楚的小單位。
■追求速度、快速產生效果。

看出效果。這期間還要找到正確的方向，擺平許多人的想法，需要相當時間。IBM則花了五年以上。

我聽說飛利浦公司從SBU、RBU變成GBU的概念已談了十年，還沒有完全轉過來，當然大部分工作都已完成，可是很多心態、想法，都需要時間化解阻力。所以，再造的成功機率並不高。

再造有個重要的特質，就是會經過陣痛，陣痛之後就會逐漸通暢。再造不能流於口說，就像日本一樣，如果沒有行動，一定無法成功。

▌IBM的再造

我就以IBM為例。早期IBM是最大的半導體公司，也是最大的軟體公司，所有產品都自己做，完全不假外人。我曾經和德儀的某位副董事長談過，他在90年初期，曾想盡辦法說服IBM，放棄半導體事業，轉與德儀合作，但是IBM無法接受。

等到新CEO葛斯納上台之後，IBM幡然改變，開始尋求外包，連電腦也找了外包公司；此外，IBM的技術開放讓所有外人享用。也因此我們做半導體的德碁與IBM開始有些合作，這完全是肇始於CEO理念上的重要轉彎。

我於1997年到IBM會見葛斯納，他見到我第一句話就

說：「IBM的研發部門有很多東西，不過我也不知道他們在做什麼，你去看看好了，如果要的話就拿走好了。」

我們當然是付了一點錢，才拿走IBM的技術。我本來還想LCD（液晶顯示器）的技術要靠日本，沒有考慮IBM，因為有他這句話，我就積極推動，評估可能性，結果IBM真的把技術開放給整個產業。

當斷則斷

這個觀念當然正確，但是要做出這個重大轉變並不容易。當年IBM組織改組，葛斯納宣布公司未來成長最高的部分就是專門賣技術，技術的收入比以前多了很多。

技術之外，就是服務。IBM為其他公司做服務，也願意為像戴爾電腦這樣的競爭對手服務。他們已經建立好基礎架構，如果只是自己使用，不能充分發揮資源，技術也未充分回收，當然就開放給大家用。

再造成功的關鍵因素

■危機感。　■接受重大改變。　■多數員工支持。　■高階主管有承諾。　■員工有信心。　■清楚的藍圖。

IBM未來最主要的生意，恐非賣硬體，它也積極投入服務、電子商務事業。

■ 日本公司的再造

日本從90年代初期就開始談再造，但是並未採取實際行動，這當然與日本的社會結構、文化有關。

日本人最引以為榮的就是終生雇用制度，要進行再造，這種文化、制度就成為大障礙。

日本公司一直強調改善，比任何一個企業體更積極思考如何做得更好，日本有很多談改善的著作，台灣早期諸多品管改善的理論都是源自於日本，這也是日本企業贏的原因。

問題是，客觀環境變化太快，就算做得再好、做到一百分，但是效益只有十分。有些企業只做到七十分，效益卻有五十分，相較之下，來回成果就差了三倍之多。所以，做對的事情，不一定要做滿分；做錯的事情，做滿分也沒有用。

再加上日本企業的速度、彈性較差，心胸也不夠開放到足以接受改變。1987年，我到日本去談DRAM，跑遍所有日本公司，沒有一家同意做技術轉移，日本人就是沒辦法像IBM那樣做技術分享的思考。

在日本，索尼算是一個特例。索尼其實也不算是日本公司，因為盛田昭夫早期在紐約是以美國市場為主。索尼現在

的重心、主力都在美國，它在日本的地位絕對沒有松下集團高，但是在世界的地位絕對比松下高很多。

大約1996年、1997年時，我在媒體上看到，索尼改革是日本的大新聞；對我們來講，這怎麼算是新聞呢？只是董事會請了外來的董事，同時從二十幾個人縮編為十幾個人，董事會只管策略，不管公司運作，這怎麼算得上再造？索尼這樣的做法當時在日本造成大轟動，因為它突破日本的傳統。

索尼之後，幾乎所有的公司都重視網路事業，並且為之進行改變，但實際上，真正轉型成功的，也只有索尼一家。現在日本的公司，如：松下、佳能（Canon）都成立網際網路的部門，但是幾乎沒有一家是全公司為網際網路革命進行改造。索尼當初在日本發展時，日本也不能接受索尼這樣的公司。

軟體銀行（Softbank）是另外一個例子，它也不算日本公司，過去十幾年的發展更不能為日本主流所接受，或許是

再造的正確認知

■不容易。　　■需要時間，可能長達數年。
■失敗案例比成功案例多。　　■先苦盡，才能甘來。　　■口說改變於事無補，除非由行動改變做起。

因為它財務槓桿太厲害。

軟體銀行的事業是到美國去買網路公司,它參與網路事業,而且到美國去時所有的人都說軟體銀行不懂網路,當創投公司還在殺價時它就以高價買下,到最後它賺了錢。雖然剛好掌握到網路經濟的機會,但是美國媒體對它當年的做法仍有質疑,日本社會主流對這件事也頗不認同。但至少,軟體銀行對日本產生很大的衝擊。

▓ 宏碁的再造 I

宏碁第一次進行大規模再造,是在1992年。在此之前,1989年就開始了「天蠶變」,而談到組織扁平化、休息站等概念。我們希望年輕人跑得很快,資深人員如果「油」不夠了,可以到休息站加油後再出發。之後,我們很快進行勸退計畫,1989年之後,公司績效已經下滑,感到很大壓力。

我們提出「全球品牌、結合地緣」的理念,所有集團的公司都用同一品牌,但是任何一家公司都各自為政。

我不斷強調的全球化與當地化,有地理性與概念性兩種層次,這個理念到今天依然有效;至於組織架構,當時採用主從架構,更能配合「全球品牌、結合地緣」這個理念的架構,就是網路型組織。

在流程裡,我們就採用速食店的產銷模式(詳細內容請

參考拙著《利他，最好的利己》第三部第十章）。

▋ 宏碁的再造 II

決定再造的架構後，我們進行許多的溝通計畫。

除了解釋公司的口號、理念之外，我還開了幾堂課，談宏碁的生意經。因為既然要結合地緣，就要懂得生意經。

上課內容，談的是組織、人才、材料管理、現金管理、預算、風險管理等獨立做生意的概念。那時我也提出微笑曲線的說法，到今天我還利用它來溝通。

當時提「21 in 21」，二十一世紀有二十一家上市公司，並不是隨便喊一個數字，我是在玩文字遊戲，數字所代表的意義是這家公司是你的，你要為它的長期發展而努力。2000年營業額要達到新台幣兩千億元的目標，也已經超過了。

另外，我們每年都有一個溝通大會，就談到「龍夢欲成真，群龍先無首」的理念。現在的集團或次集團，我們希望每個單位都像一條龍。

從再造過程中可以看出，如果做對了，每年就會有50％、60％，甚至80％的成長（見表12-1）。

記得1986年我在做龍騰國際計畫時，預定1991年營業額達十億美元，那時新台幣對美元是1：40，所以是四百億元新台幣的目標。當時我計劃每年的成長是從25％遞減為

表12-1　宏碁再造，營收、利潤高度成長

	營收 （百萬美元）	成長率 （％）	利潤 （百萬美元）	成長率 （％）
1993	1,902	51	38.6	2,436
1994	3,220	69	118.3	207
1995	5,825	81	202.9	72

20％、15％，因為我認為公司愈大成長愈難。

　　這個推論看似合理，實則不然。我那時看到康柏的驚人成長，最近又看到戴爾電腦的成長，發現公司愈大、成長愈慢的觀念並不正確，關鍵在於你是否做對了，如果做對了，成長根本不受限制。我們早期每年成長一倍，雖然當時挑戰較小，但是和競爭者相比我們做對了，所以有高度成長。

　　我一直在思考，成長率降低，如果要讓成長相對提高，就一定要把資源拿掉。做同樣的事情，如果只有個位數的成長，用的人最好要減少10％，這樣就會有兩位數字的成長，因為如果沒有這樣高的成長，幾乎就沒有競爭力。

▋宏碁的再再造I

　　我個人認為，企業應該每五年就要進行一次再造。相對

於1989年的「天蠶變」，1997年12月宏碁進行再再造。「天蠶變」時公司狀況較差，1997年再造時狀況還好，但我還是感覺公司並沒有掌握到先機。

在這次的再造，我聚集全球的幹部在龍潭開了兩天會，得出以下結論：公司如果不在上述這些領域加強，恐怕就不再具有什麼競爭力。

大宗的貨物要有競爭力，一定要考慮端對端的全球化運作流程，否則風險、成本增加，競爭力會大打折扣。要達到這個目的，一定要靠資訊系統的基礎設備。

此外，要打這場仗，若沒有思考品牌管理也是不足，所以要推動全員品牌管理。個人電腦最大的差異、生存的關鍵不在產品，而在對客戶的服務，當時為加強服務、強化品牌，還成立了品牌事業部門，專門加強品牌。

宏碁的再再造 II

根據1997年的再造會議，我們發現要執行這些結論，如果不將SBU、RBU整合成GBU，就無法有效進行端對端的運作流程。因此，新加坡、墨西哥這兩家已上市的RBU，就要準備下市；美國、歐洲的公司因為未上市，比較容易合併為GBU。

至於宏碁本身，也慢慢從主從架構，改為1999年提出的

iO組織架構，成立了新的智慧財產、數位服務的次集團。

這兩年來，公司各部門都在開會上課，討論文化的改變，調整為唯客思維的文化。宏碁現在組織太大了，員工的心態要改變成唯客思維，的確是件大工程。另外，公司的定位、方向，就從微處理機的園丁轉為網路的推手，整個集團及每個次集團都是網路的推手。

今天我們看初步成效，大部分的公司本益比都在四、五、六，甚至到達七，再造的成果值得鼓勵。

▌主動再造勝過被動再造

企業應該是主動再造，而非被動式的再造。

再造是一種常態，時間拖太久才開始再造，不僅困難重重，同時也不能有效應用資源，經營績效將不如理想。所以，企業如何在走下坡之前開始進行再造，就變得很重要；營運不好才開始再造，事實上為時已晚。

如果再造的方向正確，小組織要看出成果通常要三個月、半年，中型組織要一年，大型組織則要兩、三年才產生效果。如果方向錯誤，在大公司要看到問題是三年之後，小公司是三個月、半年就反映出做錯了。

因此，大組織應具備前瞻的思考模式，有任何風吹草動、不如理想時就要留意，隨時調整。要有這樣敏銳的觀察

力,有時還是要靠經驗。

英特爾的老闆葛洛夫就說過,企業常常不一定能夠抓住轉折點,要經常主動的再造,對企業的競爭力而言,再造應是攻擊的行動,而非消極的防禦行動。

再造是管理的重要能力之一,企業要不斷的再造。再造不僅是改變組織,愈大的組織有效再造的動作也會愈大,時間也愈長。在再造的過程中,新的CEO最重要,不論是換一個人或換腦袋。

▌讓大家都有信心

產業需要再造,公司、部門都要再造,每一個人也都應該要再造。從小的組織開始再造,當大環境改變時,已經準備就緒。

所以,一定要有開放的心胸,願意改變,不論你是自己

主動再造勝過被動再造

■經常主動再造,時間不要拖太長。　　■運作失敗後,被動再造為時已晚。　　■留意任何不盡理想的狀況。　　■積極主動,視再造為一種攻擊性行動,而非防禦性行動。

家裡的CEO，或是公司的CEO，要先換自己的腦袋瓜子，然後進行再造工程。

再造一定要建立團隊的信心，沒有信心很多事情都不敢動，會耽擱很多時間。

以我親身的經驗，我記得《商業周刊》在1994年曾形容我是「反敗為勝」，我很納悶，我並沒有敗過，怎麼會是反敗為勝？宏碁內部的同仁也很有信心，因為公司的狀況他們最清楚。

但是，企業並不是只活在員工心中，還要留意外界的信心，客戶、銀行、供應商、員工家屬、股東，都是外界的人，他們對公司再造有無信心也很重要，因此，在再造的過程中，也要注意客觀環境的反應。

問題與討論

縮短人心惶惶的時間

問：很多企業都是看到問題才想要去改變，談再造也需要信心與信任，應該怎麼做才能縮短人心惶惶的時間？再造時，應該如何進行權力分配？

答：正如我所說，組織應該隨時都具備危機意識，造成人心惶惶的時間應該愈短愈好。

公司一定要把未來的藍圖講清楚，說明要採取什麼動作，還有沒有下一波行動，讓不安的情緒很快塵埃落定，否則公司員工長期處於人心惶惶的氣氛，做事的效益就會大打折扣，對組織非常不利。

至於權力、人事的安排，應分成兩部分。一部分是事前的架構，包含保護公司大家共同的利益，個人利益應配合公司，若無法配合公司，於己、於公司都不利，但是，公司也要考慮到個人未來的路。

比如說，禮遇他提前退休，如此一來，公司就要有足夠資源處理這些事情。

我就以美國宏碁再造的實際案例來說明。

美國宏碁的莊人川博士是最優秀的人才，但是在電腦產業做不出所以然來，因為個人電腦的大環境實在艱困，我將他換掉，同時拿四千萬美元讓他在美國投資，雖然他可以接受，心裡總是很嘔，認為自己是敗軍，但是他現在為宏碁賺的錢，比過去輸的還要多。

為人才找出路

所以，為他安排出路是很重要的，不管是給他一筆錢退休過生活，或是讓他再去從事別的工作，一定要為他想出路。企業如果很健全，出路一定很多，在資訊產業出路實在很多，可以開創新的事業。

宏碁新加坡公司的盧宏鎰，在新加坡公司下市後，現在掌管創投事業，對他而言是個全新的挑戰。因此，利益共同體的事先安排，以及安排人事時，要讓衝突的一方有出路。

就算是勸退，也要有資源。

宏碁在1990年的勸退，比《勞動基準法》規定的還要優厚，而且勸退後替員工寫介紹信，幾個月內離職

員工都找到新工作。所以，一定要替所有改變的人想到新出路，這樣組織的不安會降低，效益也會提高。

當然，有很多企業利用再造之名、行裁員之實。

比如說，利用公司搬家讓員工自動離職，不必付遣散費。這樣的再造，當然會造成人心浮動，沒有得到大部分員工的支持。宏碁每次搬家，都會多付幾年的特支費，而不是利用搬家裁員。

我相信，很多被我們勸退的員工，對宏碁都沒有話講，因為我們有照顧到他的利益。

傳賢不傳子，錢才賺更多

問：CEO要換腦袋，在台灣做得到嗎？十幾年前趙耀東先生曾慨嘆，台灣只有生意人、沒有企業家，你認為現在台灣有企業家嗎？

答：現在已經有很多企業家，這可能與趙先生這番說法有關，因為年輕一輩或是沒有包袱的人，總是不喜歡被批評不是企業家，對自己的定位，不同於過去的生意人。

俗語說：「會做生意的小孩難生。」我不把公司傳

給兒子有三大理由：一是對員工不公平，二是對小孩不公平，第三是對我的錢不公平。

我一定要把公司交給賢者，錢才會愈來愈多，如果交給自己的後代，可能錢會愈來愈少。

再造是一種常態，再造時一定要換CEO，台灣企業要換CEO很困難，宏碁是唯一具備換CEO條件的公司，但是都很難做到。我們事先就告訴集團的CEO，他們是專業經理人，做不好就要換人，連我自己都辭職過，只是我們不到不可為的地步，不輕言撤換CEO。台灣的家族企業，從權力、面子問題，是很難換CEO的。宏碁在換CEO時，也會讓當事人保住面子。

換腦袋思考

我只能武斷說，如果CEO的腦袋不能不斷調整，又不能更換CEO，這個企業一定會慢慢萎縮。

有些企業沒有更換CEO，萎縮了幾年之後東山再起，是因為腦袋瓜子換了，經過幾年企業沒有起色，他大徹大悟改了想法，否則沒有任何機會讓他再起。

CEO要換腦袋，得自己想辦法創造改變的環境。

　　以宏碁集團為例，在創業的第一天，我就在組織裡建立換腦袋的思考模式，我對大家說，如果我沒辦法領導宏碁發展，就要另請高明；這不僅針對我，也針對組織其他的管理者，我對自己開刀，其他CEO也可能被開刀。

　　我在第一天就塑造這樣的環境。我對自己開刀時不留後路，自己辭職；但是對別人開刀時，我一定要為別人留後路。

集權與分權的拿捏

　　問：宏碁是跨國企業，如何在中央集權與地方分權中取得平衡？

　　答：集權或分權之事，首先要達到初步的結論，結論也要隨著時間不同做調整。我們基本上是先推出一個方法，然後從問題中檢討，有時甚至會欲擒故縱。

　　比如說，宏碁的基本原則是各自為政，我要從地方收回權力之前先要讓他出問題，不出問題他不會願意把權力放回來，要讓他覺得把權力丟回中央對自己比較有利，他才會支持由中央控制。

　　還好，我們所處的產業也適用這樣的理念。比如說，研發範圍很廣，各自為政比較有效，就採行地方分權，但以製造而言，當然中央集權較有效，因為製造要有一定經濟規模，附加價值較低。

　　這幾年來，宏碁內部一直在討論是否要成立中央研究中心，像IBM、貝爾實驗室，但我始終無法接受中央集權會比地方分權更有效。

　　品牌形象的策略、定位應該是中央集權，品牌的應用則應盡量分權，行銷當然一定要各自為政。

　　如果以事業部來看，各個公司都是各自為政，至於同樣產品的全球決策，以前是各自為政，現在則是中央集權。因為，端對端的運作流程，從研發一路到客戶服務，由同一個人管較有效。

　　此外，無形的事務盡量採中央集權，如教育；愈地方性的事務，則盡量讓各地自己作主。

五年一循環

　　問：從創業到組織再造，大概需要多少時間？
　　答：以我們這個產業，一般而言大概是五年就有一

個循環，需要進行再造。

　　不過，正如我所說，組織小的時候很容易再造，甚至組織進行再造時都不自覺，是不留痕跡的進行再造。以宏碁的案例來看，從創業到再造將近十幾年，因為我們在規模還小的時候，每一年都在再造而不自覺。

　　現在面對網際網路的風潮，有很多網路公司在擬定原來創業計畫時，說不定半年之內就要完全改變。

　　面對客觀環境的變動，一定要改變，要有不同的思考模式。如果感覺公司花很多資源、很努力，人才也不比競爭者少，卻還打不過競爭者，就需要再造。

放開心胸建立共識

　　問：你強調宏碁將來要引進四十歲以下的CEO，這些年輕的CEO如何帶動較年長的人進行再造？

　　答：這在美國比較容易，在東方國家幾乎不太可行，宏碁所設計的iO就是要解決這樣的問題。

　　如果CEO四十歲，其經營團隊原則上都在四十歲以下，年長的就去做教育訓練或創投等別的事業。

　　再造，最重要的就是溝通、共識，如果有代溝，就

會窒礙難行。

我還要特別強調，宏碁很幸運，處於到處都是生意機會的時代，面對數位經濟，這一套理論也許行得通。

網際網路時代，汰舊換新迅速，如何在事前開放心胸溝通，事後不傷害長幼有序的社會文化、又能掌握新的機會，這些都需要思考。

既是螺絲釘，也是CEO

問：再造的關鍵是CEO，CEO通常很難聽進別人的建議，部屬也無法產生影響力，這時該怎麼辦？

答：社會有很多階層，每一層都有CEO，你可能是家裡的CEO，或是自己生活的CEO。每個人既扮演大環境的螺絲釘，也是自己小世界的CEO。

當你在感嘆對公司CEO無法產生影響力時，任何一個人也可以感嘆自己對政府起不了作用。我們每一個人，只能在自己的範圍裡施展自己的權力，有效利用資源，讓組織有效運作。

當勢不可為，若處在企業體中，你絕對有權利換一家公司或乾脆去創業。只是在這樣的環境下，要同時扮

演好螺絲釘與CEO的角色，盡己所能，盡力發展。

成功也要再造

企業的成功是多方面的，賺了錢，員工滿意、客戶滿意、社會形象不錯，當然沒有再造的必要。但以現在的客觀條件來看，同樣的做法要保持五年、十年都成功，幾乎不太可能，全世界沒有一個生意是數十年如一日，做同樣的東西可以一直活下去。

成功的企業，經過幾年的困境之後，總是會比較容易聽進去別人說的話。

日本的狀況就是如此，1986年，我到日本試圖說服他們與台灣進行雙向道的交流，當初他們完全不接受，但是到了今天，在高科技產業，日本可能有一部分地方要參考台灣。

日本在成功時，可能聽不進去我的話，但是經過多年的困頓，現在就比較容易聽進外國人的話。誰能想到，「日本第一」一下子就不見了？這就是他成功後不願意再造，結果只好自行負責。

況且，我們雖然無法影響很多事情，但這只是短期

無法影響，長期而言，還是會有一定的作用。

今天台灣高科技產業的管理經營型態，與傳統產業大異其趣，因為這些尚屬少數民族的高科技業經營者做出的東西效益較高，大家建立一些信心，一傳十、十傳百，然後影響傳統產業。

我願意，由我開始做影響，這影響可能在十年、二十年以後才產生效果。

感受外在的變動有利再造

問：你如何提出宏碁的再造計畫？過程中如果發現有誤，要如何調整？

答：CEO的角色是再造的龍頭，再造是因為外在的變動太大，如果不注意就無法發動再造。我之所以會再造，是我還做了很多「不務正業」的事情，如果做的都是正業，只管公司的問題，就無暇感受外在的變動。

基本上，我對世界的了解是透過很多會議、研討會，聽聽大家關心什麼。

同樣，公司內部的變化CEO也應該要有敏銳的感覺，我可以感覺公司內有沒有信心、士氣好不好、抱怨

多不多。雖然我不知道細節，但是一定要聞出改變，這些是CEO平常要再造的基本準備。

再造是一種過程，宏碁從「天蠶變」到勸退，到最後大規模發動有績效的再造，是1992年4月劉英武辭職之後，我又再度掌舵。

劉英武是從很成功的IBM來的，很難從台灣具備創業精神、地方分權的企業文化角度來理解。

再造過程是隨著實際狀況調整，最近這次再再造，我們本想在集團總部裡成立「line of business manager」，貫穿所有的子公司，但是推行不到三個月就知道失敗了，因為這個方法與「每個公司都是獨立自主，集團中央是虛擬」的基本原則相違背。

再造的過程，不能硬幹，如果觀念尚未形成大多數共識前，不能強行實施；形成共識後再推行，如遇困難就要堅持。

建立人性本善的環境

問：2000年3月台灣政府換了新的CEO，你會給他什麼樣的再造建議？

　　答：這要分成兩方面，黑金的問題一定要趕快處理，這不是再造。如果要為幾十年後社會計，我認為最大的再造是建立人性本善的環境，歐美的客觀環境就是人性本善，我們應該把人性本善的理念變成再造的龍頭，所有的法令都要因此調整，立法的精神應以興利而非防弊為主。

　　此外，改善環境也很重要。十幾年前，社會最優秀的人員都是去當公務人員，為什麼過了十幾年，優秀的人就不再優秀了？因為不夠授權，一切都聽命行事，怎麼可能優秀？

再造要靠自己

　　問：有些公司是透過自己開刀進行組織再造，有些則是透過外面的顧問公司，宏碁的經驗是什麼？

　　答：宏碁第一次再造找的是美國麥肯錫顧問公司，談了一段時間之後就停下來，自己進行再造。

　　第二次的再造，工作流程的再造是透過外力（也是麥肯錫顧問公司），主要考量是細節的設計，需要專業建立架構，將制度建立好。

如果要改變企業文化，是內部所有管理者由上而下調整，要自己來，不能靠外力。宏碁第二次再造中的顧客導向、智慧財產、服務公司的方向，以及次集團的方向等內部管理的事情，都是由我主導。

宏碁與眾不同的是，知道要變、接受改變都沒有問題，請外面顧問公司只是要確認大方向不致有錯，執行還是要靠內部。

當內部自動願意變，外力就不是絕對必要，但是當公司內部抗拒改變，老闆雖然想變但推行時出現阻力，可以借外力進行溝通、說服。

外力只能是助力，不能是主力，再造終究還是要靠自己。

從商道到王道

　　商，是價值的交換，而在價值交換的同時，應該還要有共創價值的行為，也就是買賣雙方要共創價值。

　　商，還有另一種意思，就是商議，透過這個過程，建立利益平衡的機制。

　　至於道，則是誠信多贏。所謂商道，就是共創價值、誠信多贏。

　　有很長一段時間，PC產業是由微軟與英特爾（俗稱Wintel）主導。但，這樣的商業模式，並不算商道，更不符合王道。

價值是共創出來的

　　在那個年代，「模組化」的設計，讓宏碁能夠在終端用戶市場上，快速開發出性能與價格都具有競爭力的產品，為

消費者創造最大的價值；同時，在供應鏈當中，研發、製造與銷售過程，也得以兼顧供應商、配銷商和通路等利益相關者的利益。

從這個角度看，我們一直是朝著價值創造、利益共享的方向努力，也就是王道精神的表現。

可是，像Wintel那樣的做法，等於是用作業系統、中央處理器（CPU）綁架終端消費者，迫使他們必須支付較高的代價；而對電腦製造商來說，也沒有太多利潤空間，利益都集中在Wintel手上。

隨勢而變的平衡與不平衡

這種情況，一直到蘋果推出「i」系列手機及平板電腦，才打破電腦產業由Wintel壟斷的生態。

可是，蘋果的封閉式iOS作業系統，又是另一種壟斷，因此又促成Google的崛起，開放式的Chrome與Android平台，再一次打破Wintel與蘋果的壟斷。

只是，面對蘋果及Google在消費者端創造新價值，侵蝕既有PC市場，宏碁卻以傳統方式因應，一方面對供應商殺價，一方面又塞貨給通路。

種種非王道的作為，導致價值消失、利益不平衡，品牌

效益大打折扣。

社會價值是由所有利益相關者共同創造，但價值不是自然產生，必須透過學習；也不是自己一個人可以做到，必須有許多人一起創造，因此必須提供誘因。

身為領導人，必須建構起一個可以共創價值且利益平衡的機制；然而，這個機制處於動態平衡的狀況，也就是需要不斷調整，昨天的平衡不代表今日仍然平衡。

全球化的結果，讓世界變成平的，沒有任何一個國家或企業能擁有價值鏈中的所有競爭力。愈是處在這種時刻，舉凡區域市場、資源、技術、人才，愈需要充分合作，才能提升整體與個體的競爭力。

產業生態會隨著市場需求演進，生態結構也會隨之變化，在這種情況下，價值鏈中的所有活動，如果採取垂直整合模式，並不符合經濟效益。

慢慢改變世界

其實，在產業發展初期，生態結構多半是垂直整合，等到進入成熟期則會變成垂直分工。

因為，垂直整合才能夠創造價值，但這往往是由少數人主導，在產業還不成熟的時候，設法運用自己的資源，藉由

垂直整合來創造價值。

等到規模愈來愈大，就會開始垂直分工，對於創造價值的速度、創新和面對競爭風險的因應能力，也有不同的要求。

此時，就會出現分工整合的需求，而這又進一步推動世界變平。

如此發展到最後，市場需要的已經不是一個價值鏈，而是許多生態的整合，變成一個平台模式；這個平台可以跨產業、跨國界，產生更大的價值，分享給所有利益相關者。

在這個平台裡，會有不同產業的競爭，彼此的關係不是垂直分工，而是水平分工，可是到最後還是要整合，也就是跨產業的水平整合。這個平台能夠創造價值，也就將成為王道平台。

所以我的理念是，垂直應該分工、水平應該整合，平台就是把不同產業鏈用水平的觀念加以整合。

迎接智聯網時代

不僅如此，在大數據（big data）時代，或者說是巨量資料的環境中，大家都在談物聯網，我也引用了這個說法。但它是以數據為中心，也就是以開發商為主體，如果依照王道思維，應該還有更好的概念值得推廣。

　　所以，我在2015年時，回歸到以人為本的理念，提出以使用者為中心的智聯網。

　　物聯網只是由許多數據組合而成，當中有太多垃圾，需要透過智聯網的人工智慧（artificial intelligence, AI）分析出知識情報（intelligence）。但是，真正要能產生洞見（insight），還是要靠人類的智慧。對人來說，可貴的是智慧產出的洞見，而非僅是數據、知識情報而已。

　　更重要的是，智聯網屬於一種分散式開放平台的概念，集結各個領域與不同階層的眾人智慧，互相整合，創造共生共榮的生態。

後記
十二堂星期三的課

蕭富元

這一定是我這輩子上過最昂貴的一門課。這十二堂課，換算成施振榮先生過去三十年經營企業所累積的上兆元經驗，每堂課起碼值八百多億元，一分鐘平均價值七億元。

上這門課，沒有學分、不打成績，作業就是這本多達十三萬字的書。

▋ 文學人的新體驗

對一個學文學的人來說，這門原本為交通大學EMBA所開的「國際企業的經營與策略」課程，就好像數學系的「微積分」一樣，絕對敬謝不敏，承諾做這件差事，其實是想測試自己的大腦磁碟容量，到底還有多少空間可以吸收新鮮知識。雖然我過去也曾採訪過宏碁的新聞，對資訊產業不算陌生，但是蜻蜓點水式的接觸，對於將這門課程文字化的工作，沒有多大幫助。

一切重新開始，我放空腦袋放鬆心情，每個星期三中午

從台北坐車到新竹，沒有一次缺課。上完課後，還要重新聽過錄音帶，將其中的菁華要點整理出來，也是經過這一層重聽的過程，讓我對施振榮先生的為人，有了較不一樣的認識。

這是施先生第一次以教授名義到大學校園開課。過去，大家都是從經營者的角度閱讀他，而我與他的近距離接觸卻是從課堂開始。

■ 現代企業家，古典傳道人

在大眾的觀念裡，他是個常常有新花樣、始終走創新路子的企業家；在講台上，他卻是個典型的傳統教師，總是在上課前先進教室測試麥克風、投影片。

每次上課，他都準備好幾頁的講義與問題，自己親手寫好。為了準備教材，我猜他一定犧牲不少「賺大錢」的時間。記得他在倒數第三堂課上，就吐露出沒想到準備講義會這麼累，他等待課程結束倒像是在「數饅頭」。

每次兩個小時的課程，施先生會先用一小時，提綱挈領式的傳授他對全球化的體會與經驗，剩下一小時則開放同學發問，每堂課還會附帶討論兩則關鍵問題。在我的記憶中，施先生幾乎是有問必答，包括宏碁集團的接班問題、最新動向，甚至也不忌諱談到夫妻創業，他和施太太為了彼此「撈過界」的事情而吵架。

　　施先生創業之初就大力塑造的不留一手企業文化，在課堂上展露無遺。他不吝談到宏碁的挫敗經驗，沒有面子的從美國零售市場退出的經過，當眾分享他的得意與失意。

　　有時，他還會不忘調侃自己，例如他說，他現在在宏碁集團很享受大權旁落，「大家不理老闆已經是很正常的事。」他在公司，就好比是只專供人拜拜用的那塊牌子，當時他抬起頭雙手合十拜拜的滑稽模樣，確實讓人發噱。

　　從小到大，我從來就沒有想過要經營一家企業。還記得上完最後一堂課，走出昏暗的教室，仰頭探望六月豔豔的藍天，突然興起一種在少林寺修行完畢、拜別師父下山闖蕩的感覺。

　　我不知道那些在台下聽講的百位同學，心中是否也會撩起一絲技癢，試試自己創業，去經營一家「國際企業」，打一場全球戰爭？十幾、二十年之後，會不會因此產生另外幾個施振榮？

■ 施先生的課後輔導

　　在整理文稿的過程中，我盡量保留施先生原有的語氣，希望這本書能讓讀者有親臨其境的現場感。在課堂上無法詳細說明的部分，施先生也會不厭其煩的為我「課後輔導」。和施先生過去寫過的書比起來，這本沒有故事、只有經驗與

理論的書，應足以入選為企業管理的經典教科書。

有人笑說我是在做「共同筆記」，完成後就要讓全班同學「copy」。正因被賦予這份任務，施先生深信不移的經營理念，我竟也可以侃上幾句，如「technology、product要global，service、marketing要local」（技術、產品要全球化，服務、行銷要當地化）、「focus and diversify」（多元專精）等，甚至在寫稿時還曾喃喃自語，模仿施先生獨特的台灣國語腔調自娛，藉以調劑疲累。

課程結束至今一個月，我常常會想到《最後十二堂星期二的課》這本書。這本書是社會學者墨瑞・史瓦茲的學生艾爾邦，記錄他和老師十二堂對人生、死亡體驗的課程。對離開校園多年、經歷人生起落的學生艾爾邦而言，這十二堂課無疑是他人生的另一個起點。

我不知道施先生未來是否還會繼續「下海」授課，但這十二堂課的確讓我走了趟意外的旅途。我沒有料想到，在比較文學研究所畢業七年之後，竟然會以企管學生的姿態踏回教室。

要感謝施老師，讓我不花一毛錢，就上了這麼昂貴的一門課，還仔細校訂這份「作業」。希望它真的能成為所有向隅讀者的「共同筆記」，就算無法註冊入學，至少有它領著你走進施振榮的經營世界。

後記
聽聽學生怎麼說

　　2000年3月初到6月中旬，十二堂星期三的課，施教授賣力準備，在課堂上傾囊相授三十年的寶貴經驗，來自各行各業的EMBA學生認真聽講，儲備用兵打仗的能量，收穫如何，聽聽他們怎麼說……

孫世昌（茂德科技）：

　　「競爭力新解 ── 創新價值」的內容對我而言最有用。因為，最有效的成本降低是創新，創新才有新的機會、產生新的市場，每個新市場都是可獲得較高利益的機會點。所以，學習創新管理是相當有用的。

徐松明（宇通全球科技）：

　　由於我也創業，事業定位、策略形成是我工作最主要的內容，因此，老師的授課中，關於策略形成的背後細部考量及其實證，對我幫助很大，尤其是氣度及氣勢上。

孫德風（台灣積體電路）：

上課內容中，有關宏碁內部實際案例是最吸引人的部分；理論有如人體架構，配合實例有如人體血肉，建構出真實的picture，有利於大家對事情的看法有更深層的體認。

沈文義（凌陽科技）：

上「創新的無障礙空間」課程時，老師把國際化時因文化差異所造成的影響及因應措施與大家分享，在實務上對普遍面臨國際化的國內企業，有極大的幫助。

顏景芳（裕隆汽車）：

「從代工到自有品牌」中，老師提到品牌策略（鄉村包圍城市、利基市場……），我認為其中的「鄉村包圍城市策略」可適用於多種場合，化整為零進軍利基市場，拓展出市場占有率的模式，可做為台灣企業進入國際市場的重要借鏡與學習典範。

蔡東芳（偉詮電子）：

「Aspire case study」讓我從中了解，一個有創意的產品要獲得成功，不只是產品本身的研發，包括品牌、產銷配合度、組織搭配等，都需同時考慮。另外，在企業文化的探討方面，Acer的資源並不如其他高知名度的國際公司豐沛，卻

能堅持自創品牌、堅持國際化，過程雖然艱辛，但其精神的確值得欽佩。

黃福生（EMBA 一年級）：

從有關Acer企業文化的授課內容，可以看出一個CEO對其公司企業文化的塑造有絕對的影響力。Acer 給每位員工有發揮才能的一片天，再加上「不留一手」的經驗傳承，以及培養每位主管之左右手或接班人，這可能是公司精耕最重要的因素之一。

賴昱璋（經營管理所）：

課堂上分享的Acer 變革管理經驗，每一句話都可能是該公司數億美元投資的心得。在未來的經營環境中，「變」才是常態，從課堂上可多少模擬當時情境。

陳金勇（昇頻公司）：

施董事長的上課內容，對於對企業經營有興趣者幫助很大。對我個人而言，宏碁「群龍無首」──讓每個高階人員皆可獨立運作、擁有一片天地的理念，令人印象深刻！

丁金輝（泛亞國際聯合會計師事務所）：

創新對企業的重要性與企業再造是我最覺得有用、喜歡

的內容。由前者可得知，企業如何以不斷創新維持企業競爭
優勢；由後者則可了解，如何運用企業再造，讓企業適應環
境，並創造經營優勢。尤其，國內很多傳統產業過去的成功
反而成為今日的包袱，企業的再造對台灣許多傳統企業因而
非常重要。

林金正（Plantronics B. V. Taiwan）：

目前台灣大部分企業的經營模式為製造代工、設計製造
代工等缺乏世界性的品牌經營，且未對終端顧客進行直接的
服務，因此我覺得「從代工到自有品牌」這部分的內容非常
有用。

王燈山（全懋精密）：

我最喜歡的內容是組織再造的部分。宏碁的再造經驗是
最豐富的，而且施先生在討論過程中現身說法，提出再造的
思考以及親身經歷的過程，對我非常有幫助。

陳祥仁（台灣柏恩化電子）：

無障礙的全球貿易環境是大勢所趨，企業唯有善用全球
資源才能立於不敗，施先生在超分工整合、全球資源共享課
程中的內容很實用。

陳鴻銀（民興實業）：

在上課內容中，創新管理的重要、企業如何國際化、國際化應注意哪些事情，以及國際行銷策略等部分，我非常喜歡。施先生談到，經營者對企業的週期生命視為常態，而引申用組織再造，以創生生不息，如不能也不勉強、無所謂的胸懷，令人感到欽佩。

褚式鈞（華淵電機）：

在變化快速、多元的十倍速時代，企業如何經常思考在環境衝擊下的經營假設，找出自己的定位，是每個企業都會面臨的問題，企業再造的策略與過程因此顯得格外重要。

鄭坤松（台泥公司）：

施先生在組織與人力資源管理的課程中談到，企業應以開闊的觀點與視野培育人才，即使人才不為原組織所用，仍是為國育才，提升國際競爭力，這部分的上課內容最為我所喜歡。

葉燦鍊（致茂電子）：

「競爭力新解 —— 創新價值」的課程，切中目前台灣高科技產業升級最必須致力加強之處，也是大部分同學現階段所需面對的問題。

曹冠和（華邦電子）：

在宏碁渴望園區上的一堂課：關於如何設定願景、形成企業文化，以及高階主管如何「志同道合」以形成企業文化的課程，是我認為很有用的課程。另外，SONY case study的討論也令人印象深刻。

徐基生（工研院）：

我任職的工研院正進行再造，朝國際化發展，施老師在全球化、組織與領導、企業再造等理念與實務的經驗，有助於即將成為CEO或專業經理人者減少錯誤，掌握資源以了解未來、創造未來，提高成功機會。

國家圖書館出版品預行編目(CIP)資料

分散管理,智聯雲端：物網相聯,迎向平的世界 / 施
振榮著；蕭富元採訪整理. -- 第一版. -- 臺北市：遠
見天下文化, 2015.08
　　面；　公分. -- (財經企管；559)(王道創值兵法)
ISBN 978-986-320-765-8(平裝)

1.企業管理 2.知識經濟

494　　　　　　　　　　　　　　　　　104010719

財經企管 559

王道創值兵法——一以貫之・以終為始・吐故納新・價暢其流

分散管理，智聯雲端（修訂版）

物網相聯，迎向平的世界

New Way for Growing Global

原書名 —— iO 聯網組織：知識經濟的經營之道
作者 —— 施振榮
採訪整理 —— 蕭富元
主編 —— 李桂芬
責任編輯 —— 羅玳珊、李美貞（特約）
封面與內頁設計 —— 周家瑤

出版者 —— 遠見天下文化出版股份有限公司
創辦人 —— 高希均、王力行
遠見・天下文化・事業群董事長 —— 高希均
事業群發行人／CEO —— 王力行
出版事業部副社長・總經理 —— 林天來
版權部協理 —— 張紫蘭
法律顧問 —— 理律法律事務所陳長文律師
著作權顧問 —— 魏啟翔律師
社址 —— 台北市 104 松江路 93 巷 1 號 2 樓
讀者服務專線 —— （02）2662-0012
傳真 —— （02）2662-0007；2662-0009
電子信箱 —— cwpc@cwgv.com.tw
直接郵撥帳號 —— 1326703-6 號　遠見天下文化出版股份有限公司

電腦排版／製版廠 —— 立全電腦印前排版有限公司
印刷廠 —— 祥峰印刷事業有限公司
裝訂廠 —— 明和裝訂有限公司
登記證 —— 局版台業字第 2517 號
總經銷 —— 大和書報圖書股份有限公司　電話／ (02)8990-2588
出版日期 —— 2000 年 7 月第一版
　　　　　　2015 年 8 月 31 日第二版第 1 次印行

定價 —— 420 元
ISBN：978-986-320-765-8
書號 —— BCB559
天下文化書坊 —— www.bookzone.com.tw